Angela Krumpen

GANZ
MENSCH WERDEN

Willigis Jäger und die großen Fragen
des Lebens

West-Östliche Weisheit
WILLIGIS JÄGER STIFTUNG

Weitere Veröffentlichungen zu Willigis Jäger
der WÖW Edition West-Östliche Weisheit Willigis Jäger Stiftung

Alexander Poraj-Zakiej: Das Willigis Jahrhundert (2020)
ISBN 978-3-9819150-4-4

www.west-oestliche-weisheit.de

Inhalt

Vorwort

„Wenn wir uns die Erste Wirklichkeit als einen unendlichen Ozean vorstellen, dann sind wir so etwas wie die Wellen auf dem Meer. (...) Das Meer ist alle Wellen und alle Wellen sind eine Einheit."[1]

– Willigis Jäger –

„Dieses kleine Staubkorn Erde hängt unbedeutend zwischen Milliarden anderer Gestirne in der Unendlichkeit des Kosmos, der schon seit Milliarden von Jahren existiert.
Was bedeutet die jetzige Sekunde angesichts dieser Milliarden von Lichtjahren?
Was bedeutet ein Menschenleben von ein paar Jahrzehnten?"[2]

– Willigis Jäger –

Das Menschenleben von Willigis Jäger, Benediktinerpater und Zen-Meister, währte fast ein Jahrhundert. Gewidmet hat er es den großen Fragen des Lebens, erforschen wollte er die großen Mysterien des Lebens. Willigis Jäger folgte seinen Fragen dringlich und existentiell. Er folgte ihnen, wie Seeleute seit Jahrhunderten dem Stern des Meeres, der „stella maris" folgen.

[1] Die Welle ist das Meer, S. 42f
[2] Sinn des Lebens, S. 26

Zu ihrer Orientierung gelten den Nautikern verschiedene Himmelssterne, darunter der Polarstern.[3] Willigis Jäger machte seine Fragen zu den Meeressternen über seinem Lebensmeer, tat damit, was Rainer Maria Rilke in seinen bekannten „Briefe an den jungen Dichter"[4] vorschlug: Willigis Jäger lebte in seine Antworten hinein. Von diesen Antworten erzählte er in Kursen, Vorträgen und Büchern.

Und traf einen Nerv seiner Zeit. Seine Antworten haben viele Menschen interessiert. Am besten zusammengefasst sind sie in seinem bekanntesten Buch, das kurz nach der Jahrtausendwende erschien und gut zehn Jahre später zum 25. Mal aufgelegt wurde: „Die Welle ist das Meer. Mystische Spiritualität". Nun, um diese Antworten soll es in diesem Buch gehen. Welches ein Zwillingsbuch zum „Willigis-Jahrhundert" von Alexander Poraj sein soll. Wird dort die Entwicklung von Willigis Jäger nachgezeichnet, soll es hier um eine Landkarte seiner Einsichten und Lehren gehen.

Nun zeichnet meine Person diese Landkarte. Wie komme ich dazu? Seit 2015 bin ich Mitglied des Präsidiums der Stiftung „West-Östliche Weisheit Willigis Jäger Stiftung". Eine Außenstehende. Weder war ich eine Schülerin von Willigis Jäger oder einer seiner Schüler*innen, noch war ich zuvor auf dem Benediktushof.

Als Journalistin habe ich mich vor allem mit der Frage beschäftigt, wie Menschen, alle Menschen, ein gutes Leben führen können und dies nicht nur einigen Privilegierten vorbehalten bleibt. Die Frage, wie Menschen sich so entwickeln, dass sie das Wohl aller in den Blick nehmen, hat mich mit spirituellen Wegen in Kontakt gebracht. Hilfreich fand ich dabei besonders die östliche,

---

[3] Später wurde der Meeresstern auch ein Bild für Maria. Im Mittelalter taucht die Anrufung Marias z.B. als Anrufung des Meeressternes auf: Ave maris stella, also etwa: Meerstern, sei gegrüßt.

[4] Aus Rainer Maria Rilke, „Briefe an einen jungen Dichter": „Leben Sie jetzt die Fragen. Vielleicht leben Sie dann allmählich, ohne es zu merken, eines fernen Tages in die Antwort hinein." Hier zitiert nach: http://www.rilke.de/briefe/160703.htm, zuletzt aufgerufen am 10.1.2021.

buddhistische Weisheitslehre. Hier ist das Individuum zwar wichtig, aber es kämpft nicht allein vor sich hin, sondern ist untrennbar mit dem Ganzen verbunden. Unter anderem bin ich z.b. für Reportagen ins tibetische Exil nach Nordindien gereist und habe dort geforscht, wie das Dharma hilft, Flucht und Exil zu bewältigen. Aber ich war auch in Ruanda und Burundi und habe mit Täter*innen und Opfern im Völkermord über Versöhnungsarbeit in einem christlichen Orden gesprochen, habe Menschen in den Armenvierteln Chiles über ihre Erfahrungen mit Solidarität in Diktatur und Neoliberalismus in einer befreiungstheologischen Bewegung befragt und die bitteren Erlebnissen von Menschen im Holocaust und der enormen Kraft der Musik angehört.

Das Präsidium der Stiftung wurde 2015 auf mich aufmerksam, weil ich für und mit Helge Burggrabe das Libretto seines Oratoriums „Lux in tenebris" geschrieben hatte. Willigis Jäger kannte ich aus meiner Arbeit. Aufmerksam gemacht hatte mich das oben schon angesprochene Buch „Die Welle ist das Meer". Der Titel des Buches und seine zentrale Aussage haben mich zu Beginn des 21. Jahrhunderts bewegt. Und gefreut. Denn das Sprechen der Kirchen von Gott als Vater, Herrn und vor allem als Gegenüber war mir und meiner Wahrnehmung fremd. Erst in der östlichen Weisheit fand ich Worte dafür, wie sich mir die Welt darstellte. Worte, die meiner Wahrnehmung der Verbundenheit von Welle und Meer, von Mensch und Göttlichem, entsprachen. Dass diese Worte ein christlicher Mönch aussprach, hat damals meinen Blick auf das Christliche geweitet.

Inhaltlich bin ich dem Erbe von Willigis Jäger also durchaus verbunden. Verbunden bin ich aber vor allem der Aufgabe, es weiter zu entwickeln. Sodass die Menschen heute, vor allem die jungen Menschen, ihre Fragen auch in Zukunft wiederfinden können. So habe ich mich aufgemacht, in den Texten von Willigis Jäger nach Antworten auf die Fragen zu suchen, um die er sein Leben kreisen ließ oder denen er wie Himmelssternen über das Meer seines Lebens folgte. Diese Fragen hießen: Wer bin ich? Wer ist Gott? Wozu bin ich da, was ist der Sinn dieses Lebens?

Hinzugefügt habe ich Antworten auf die Frage: Wie geht der Weg? Denn: Was sind noch so viele Worte zu Liebe, Weisheit und Mitgefühl, wenn es bloße Worte bleiben? Dann sollten wir die Worte doch lieber lassen.

Worte können zwar viel, auch viel mehr als viele Menschen ihnen zutrauen. Nicht nur Dichter*innen und Rhetorik-Begabte beweisen das (wie gerade Amanda Gorman bei der Amtseinführung von Joe Biden eindrucksvoll der ganzen Welt zeigte). Aber Worte können das, worum es in diesem Buch vor allem geht, also, das, was den Menschen übersteigt und gerade deswegen zum Menschen macht, nur andeuten.

Neben die Worte haben wir in diesem Buch deswegen bewusst Bilder gestellt. Bilder vom Universum. Bilder aus dem Weltall. Bilder, die vielleicht eine leise Ahnung oder ein fernes Echo des so unbegreiflichen Kosmos mit sich bringen. Dieser faszinierenden Einheit von Zeit und Raum, Materie und Energie, die unser menschliches Vorstellungsvermögen sprengt. Und von dem wir Menschen doch ein Teil sind. Es sind die Naturwissenschaften, die heute diesen Kosmos erforschen. Um es mit Wikipedia zu sagen: „Die heute allgemein anerkannte Theorie zur Beschreibung der großräumigen Struktur des Universums ist das Standardmodell der Kosmologie. Sie beruht auf der allgemeinen Relativitätstheorie in Kombination mit astronomischen Beobachtungen. Auch die Quantenphysik hat wichtige Beiträge zum Verständnis speziell des frühen Universums der Zeit kurz nach dem Urknall geliefert, in dem die Dichte und Temperatur sehr hoch waren. Wahrscheinlich wird ein erweitertes Verständnis des Universums erst erreicht, wenn die Physik eine Theorie entwirft, die die allgemeine Relativitätstheorie mit der Quantenphysik vereint. Diese ‚Theory Of Everything' oder auch Weltformel genannte Theorie der Quantengravitation soll die vier Grundkräfte der Physik einheitlich erklären."[5]

[5] https://de.wikipedia.org/wiki/Universum, zuletzt abgerufen am 24.1.2021

Es sind diese Naturwissenschaften, auf die Willigis Jäger seine Hoffnungen setzte. Kein moderner, ernsthaft an Erkundung der Welt interessierter Mensch wird an den Naturwissenschaften vorbei wollen. Jemand, der ernstgenommen werden will, auch nicht.

Bis die Naturwissenschaft die Weltformel aber findet, leben wir mit Worten. Und Bildern des Universums, die deutlich machen, wie viel wir noch nicht begriffen haben.

Das Willigis-Jahrhundert ist vergangen. Im 21. Jahrhundert müssen wir die Fragen des 21. Jahrhunderts leben. Vor allem aber müssen wir unsere eigenen Antworten finden.

Unsere Welt ist grundlegend anders als die Welt, die Willigis Jäger 1925 bei seiner Geburt vorfand. Gott oder gar die Kirchen haben für jede neue Generation weniger Bedeutung. Naturgemäß schwindet damit auch das Fragen nach Gott, das Willigis Jäger so intensiv verfolgte, schwindet die Bedeutung dieser Frage überhaupt.

Aber auch wir suchen nach den Himmelssternen, nach denen wir unser Leben ausrichten können, damit wir nicht untergehen auf der Fahrt über unser Lebensmeer.

Die großen Fragen nach dem Woher, dem Wohin und dem Wozu unseres Lebens bleiben: Niemand hat sich selbst gemacht oder selbst entschieden, zu leben. Wir verfügen nicht darüber, dass wir leben. Aber wir leben nun mal. Und dann wird uns auch noch zugemutet, dass niemand weiß, wie lange wir leben. Niemand weiß, was morgen passiert. Niemand weiß, was nach dem Tod auf uns wartet.

Aber wir alle leben, wir alle wissen, dass am nächsten Morgen die Sonne wieder aufgeht und dass unser Leben weitergeht, solange wir eben leben. Das Leben ist von Anfang bis Ende voller Geheimnisse.

Nach dem Geheimnis des Lebens lässt sich mit gleicher Intensität fragen und forschen, mit der Willigis sich von der Frage nach Gott umtreiben ließ. Von unseren Antworten auf dieses große Geheimnis hängt ab, ob unser Leben gelingt. Ob wir ihm Sinn abringen. Ob es also ein gutes Leben ist. Nicht nur für uns im Westen, die wir um so viel privilegiertere Leben führen. Sondern für alle Menschen.

Doch: Wie kann es ein gutes Leben für *alle* geben?

Ob wir darauf eine Antwort finden, wird angesichts der Polykrise von Klimawandel, wachsendem Populismus und Extremismus, Nationalismus und Migration über lang, wahrscheinlich aber doch eher über kurz, zur Überlebensfrage. Zu fragen, wer wir sind, wozu wir überhaupt hier sind und wie wir Menschen werden, ist gelinde gesagt, dringlich.

Das Geheimnis des Lebens so zu ergründen, dass Sinn aufschimmert und wir ganz Mensch werden: ein Ziel, zu dem dieses Buch hoffentlich inspiriert.

Angela Krumpen, im Februar 2021

1. Wer bin ich?

Willigis Jäger sucht Antworten auf die Frage: Wer bin ich? Dazu erforscht er, was das eigentlich genau ist: ein Mensch. Seine Antworten kleidet er in Bilder, die klarstellen: Ein Mensch ist so viel mehr als nur ein Mensch.

> **W**ir sind Gold und Wüstensand.
> Wir gleichen aus Gold geprägten Münzen, einmalig in ihrer Bedeutung und unverwechselbar. Aber in Wirklichkeit sind wir Gold. Wer sich als Gold erfährt, für den hat das Dasein als Münze eine ganz andere Bedeutung. Er weiß, dass er das Gold in dieser Gestalt repräsentiert. Wir sind Dünen aus Wüstensand. Nicht die Düne wandert, sondern der Sand. Wer sich als Sand erfährt, hat keine Angst, dass die Düne wandert. Die Düne vergeht, der Sand zieht weiter. Wirklichkeit ist immer voll und zeitlos da. Wir können nur unsere Empfänglichkeitsanlage erweitern. Genau das vermittelt das Zen. Was wir zutiefst sind, ist ungeboren und kann daher auch nicht sterben. [6]

Das Buch „Das Willigis Jahrhundert" schaut auf das ganze Leben von Willigis Jäger. Dieses Leben hat zwar fast ein Jahrhundert gedauert, aber nur eine kurze Spanne, erst im Alter, hat Willigis geschrieben. Womöglich ist das kein Zufall.

Denn das, was Willigis erforscht hat, entzieht sich „eigentlich" den Worten. Um dennoch über das eigentlich Unsagbare zu sprechen, wählen viele Mystiker*innen Bilder. „Bilder und Symbole" aber, sagt

---

[6] Zen im 21. Jahrhundert, S. 21f

Willigis Jäger, kämen erst nach der Erfahrung.[7] Also konnte auch Willigis erst Bilder suchen, nachdem er selbst Erfahrungen gemacht hatte. Erfahrungen aber brauchen ihre Zeit.

Als Willigis Erfahrungen gemacht hatte, wählte er Bilder. Wobei ihm bewusst war, wie vorläufig und zeitgebunden diese Bilder sein müssen: „Weil alle Bilder, Symbole und Sprachen des Menschen einem kontinuierlichen Wandel unterzogen sind, während das Göttliche unberührt bleibt."[8]

In diesem Bewusstsein gebraucht er auch jenes Bild, das den Nerv seiner Zeit so sehr traf und schon gleich mit dem Buchtitel vom Cover aus in die Welt rief:

Wir sind die Welle. Und das Meer. Zugleich.

Ein Bild, das ich gerne verwende, ist folgendes: Wenn wir uns die erste Wirklichkeit als einen unendlichen Ozean vorstellen, dann sind wir so etwas wie die Wellen auf diesem Meer. Wenn nun die Welle erfährt „Ich bin das Meer", dann sind da immer noch zwei: Welle und Meer. In der mystischen Erfahrung aber wird auch diese Dualität überstiegen. Das Ich der Welle verfließt, und an seiner statt erfährt sich das Meer als Welle. Es erfährt sich in der Einheit von beiden und als Einheit von beiden. Diesen Schritt vollzieht der Mystiker nicht, er widerfährt ihm. Er betrachtet die Wirklichkeit nicht mehr als sein Gegenüber, gleichsam von außen, sondern er erfährt die Wirklichkeit von innen. Im Bild gesprochen: Er erfährt: Alles ist Welle und Ozean zugleich. Alles ist Ausdrucksform derselben Wirklichkeit. Und da alles Ausdrucksform derselben Wirklichkeit ist, gibt es auch eine absolute Verbundenheit mit allem. Das Meer ist alle Wellen und alle Wellen sind eine Einheit. (...) Mystik ist nicht jenseits von Gott und Welt. Mystik ist Gott und Welt, ein unteilbares Eines. Die Spannung zwischen den beiden Polen wird deshalb nicht aufgehoben. Es ist die Spannung

---

[7] Die Welle ist das Meer, S. 41
[8] Die Welle ist das Meer, S. 42

zwischen dem einen Ende eines Stabes und dem anderen. Es ist die Spannung zwischen Welle und Meer, zwischen Ast und Baum. Gott und Menschen werden daher auch nicht gleichgesetzt. Das Meer offenbart sich als Welle. Meer und Welle kann man zwar verschieden ansprechen, aber ihr Wesen ist Wasser. [9]

Willigis Jäger nutzt für seine Forschungen auch Erkenntnisse und Worte anderer Disziplinen. Gerne auch von Wissenschaftlern. Fündig wurde er zum Beispiel in der Physik bei Albert Einstein. Der nicht poetisch von Wellen und dem Ozean spricht, sondern vom Menschen und dem Universum.

Wir sind ein Teil des Ganzen, das wir Universum nennen. Es ist uns Menschen möglich, die materielle Existenz zu transzendieren, um mit einem Hintergrund in Verbindung zu treten, der als Einheit mit allem erfahren wird und der uns mit allem Seienden vereint. Albert Einstein erkannte dies deutlich, als er sagte: „Der Mensch ist ein Teil des Ganzen, das wir Universum nennen, ein in Raum und Zeit begrenzter Teil. Er erfährt sich selbst, seine Gedanken und Gefühle als abgetrennt von allem anderen – eine Art optische Täuschung des Bewusstseins. Diese Täuschung ist für uns eine Art Gefängnis, das uns auf unsere eigenen Vorlieben und auf die Zuneigung zu wenigen uns Nahestehenden beschränkt. Unser Ziel muss es sein, uns aus diesem Gefängnis zu befreien, indem wir den Horizont unseres Mitgefühls erweitern, bis er alle lebenden Wesen und die gesamte Natur in all ihrer Schönheit erfasst. [10]

Weil die Bilder von Welle, Meer und Universum so eingängig sind, bringen sie eine andere Frage dringlich mit sich: Woher, bitte, soll denn so eine arme, kleine Welle wissen, dass sie Meer ist?

---

[9] Die Welle ist das Meer, S. 42f
[10] Zen im 21. Jahrhundert, S. 34f

Die Antwort führt Willigis Jäger zu einem Teil von sich und allen Menschen. Er nennt diesen Teil: „Ich-Bewusstsein".

Unser Ich-Bewusstsein ist nur ein Organ.

Unser Ich-Bewusstsein ist nur ein Organ unseres Gesamtbewusstseins, gebärdet sich aber als Alleinherrscher und liegt in ständigem Kampf mit der Tiefe unseres Seins. Solange es die Oberhand behält, gibt es keinen Frieden. Nur wenn wir ins Transpersonale vorstoßen, in jene umfassendere Dimension unseres Bewusstseins, werden wir mit den Problemen dieser Welt so weit fertig werden, dass wir menschenwürdig leben können. Es kommt darauf an, wer die Oberhand behält; ob wir mehr und mehr nach unseren inneren Forderungen leben oder ob wir über das Besetztsein von Gefühlen, Bildern und Konzepten nicht hinauskommen; ob unser Ich sich einordnen lässt als Organ unserer Gesamtpersönlichkeit oder ob es uns triumphierend überall hinzerren darf. [11]

Diesem „Ich-Bewusstsein" widmet Willigis Jäger viel Aufmerksamkeit. Er zeigt die Gefahren des Ichs für unsere Sicht auf die Welt auf und sucht dazu auch Antworten in den Naturwissenschaften. Willigis Jäger beschreibt das „herrische" Ich in uns Menschen, aber er spricht auch darüber, wie kostbar das Ich ist. Und nennt es am Ende doch nur: einen Postboten.

Unser Ich gaukelt uns eine Welt vor, die es gar nicht gibt.

Die modernen Naturwissenschaften zwingen uns zu der Erkenntnis, dass die Welt nicht das ist, was wir sehen, hören und intellektuell begreifen. Unser Ich gleicht einer Brille, die uns etwas zeigt, das so nicht da ist. Es gaukelt uns eine Welt vor, die es gar nicht gibt. Die Welt, so wie sie uns erscheint, ist ein Sonderfall, aufgebaut auf ganz speziellen Organen, nämlich der zufälligen Struktur unserer fünf Sinne und des Intellektes.

---

[11] Sinn des Lebens, S. 72 f

Als Beobachter sind wir vom Beobachteten nicht zu trennen und kreieren so auf Grund unseres Verstandes und unserer Sinne eine ganz bestimmte Welt. Unser Weltbild ist ein menschliches, aber wir können nicht sagen, was die Welt wirklich ist. Andere Lebewesen, die Frequenzen in ihrem Organismus anders verarbeiten, haben ein anderes Weltbild. Das Weltbild von Vögeln unterscheidet sich von dem des Menschen; Löwen haben wieder ein anderes so wie auch Fledermäuse. Engel, wenn es sie geben sollte, werden mit Sicherheit ein anderes Weltbild als wir Menschen haben, ebenso Wesen auf anderen Sternen. Wir können nicht annehmen, dass sie unsere Sinnesorgane und die Arbeitsweise unserer Großhirnrinde entwickelt haben.

Eine weitere Erschütterung unseres Selbstverständnisses als Homo sapiens, als »weiser Mensch«, begründet sich in unserer Unfähigkeit, soziale und ökologische Bedingungen auf der Erde zu schaffen, die eine Weiterexistenz unserer Spezies sichern. Die Vorboten einer drohenden Menschheitskatastrophe sind kaum noch zu übersehen. 75 Prozent der Erdbevölkerung leben unter menschenunwürdigen Bedingungen. Die Zahl der hungernden Menschen ist weltweit inzwischen auf 852 Millionen gestiegen. Jede fünf Sekunden stirbt ein Kind an Unterernährung und dadurch ausgelösten Krankheiten, heißt es in dem jüngsten Bericht des UN-Sonderbeauftragten Jean Ziegler.

Phillip Harter von der Stanford-Universität stellte eine sehr eindrückliche Berechnung an. Wenn die Erdbevölkerung ein Dorf mit nur 100 Einwohnern wäre, würde sich folgendes Bild ergeben: Es würden dort leben: 57 Asiaten – 21 Europäer – 14 Nord- und Südamerikaner – 8 Afrikaner – 30 Weiße – 70 Farbige. 6 Menschen würden 59 Prozent des Reichtums besitzen. Alle wären US-Amerikaner. 80 würden in ärmlichen Behausungen leben, 70 würden nicht lesen können, 50 würden an Unterernährung leiden, 1 hätte eine akademische Bildung und 1 besäße einen PC.

(...) Sind wir eine entartete Spezies? [12]

---

[12] Integrale Spiritualität, S. 73 ff

Unser Ich ist der Schnittpunkt unserer Gedanken, Gefühle, Begierden und Emotionen.

Was wir unser Ich nennen, ist nichts anderes als der Schnittpunkt unserer Gedanken, Gefühle, Begierden und Emotionen. Der Weg der Kontemplation lehrt uns, die Identifikation mit diesen Äußerungen unserer Psyche zurückzunehmen. Eine Kränkung ist dann z.b. noch da, die Aggression plagt uns noch, aber wir nehmen Abstand von diesen Regungen. Der Übungsweg hilft uns, auf eine Ebene zu gelangen, auf der die Fixierung an Gedanken oder Gefühle aufgehoben wird. Die Angst kann auf der Ich-Ebene also durchaus weiterexistieren, Wut kann mich weiter plagen, aber ich erfahre, dass mein eigentliches Wesen sehr viel tiefer liegt und von all dem nicht erschüttert werden muss. Ich lerne, Gefühle zuzulassen und zu haben, ohne von ihnen besetzt oder blockiert zu sein. Letztlich versuchen wir, diese Bewegungen unserer Psyche nicht zu verdrängen, sondern sie zu lassen. Lassen heißt aber nicht, dass wir sie loswerden wollen.

Damit kommen wir zum eigentlichen Problem. Wenn wir etwas loswerden wollen, verdrängen wir. Wer Traurigkeit, Hoffnungslosigkeit, Wut und Angst loswerden will, wird davon nur wiedereingeholt. Bestenfalls verstecken sich diese Regungen tief im Unbewussten, wo ihnen nur schwer beizukommen ist, und stören von dort. Der Mensch steht ihnen dann hilflos gegenüber.

Wir dürfen nichts verdrängen. Was da ist, ist da. Schau hin, akzeptiere es, lass es kommen! Befreunde dich mit der Angst und der Wut! Sie gehören zu dir. Du schneidest dir ja auch nicht die Zehe ab, wenn sie dir weh tut. Versuche es einmal mit Traurigkeit: Nimm sie an, aber wälze dich nicht in ihr. Mach nichts Besonderes daraus. Schau sie an. Sie gehört zu dir. Geh dann wieder in deine Übung. Traurigkeit kann ein guter Ausgangspunkt sein für die Übung.

Nicht wenige Menschen werden von Angst geplagt. Sie wissen nicht warum. Sie wissen nicht, woher sie kommt, und wissen nicht, wo sie sich versteckt. Sag „Ja" zur Angst. Sag: „Ja, ich habe Angst." Nimm sie mit in deine Übung. Lass sie darin untergehen. Wenn wir Angst oder Traurigkeit verdrängen, verkleiden sie sich und verstecken sich in irgendeinem

Winkel der Psyche. Wenn sie dann auftauchen, kommen sie mit einem ganz anderen Gesicht, etwa als Aggression, als Stolz, ja vielleicht sogar als Tugend, die uns eine Zeitlang täuschen kann.

Wenn wir dieser Raffinesse nicht zum Opfer fallen wollen, müssen wir erkennen, dass Traurigkeit, Eifersucht, Aggression usw. zur psychischen Energie unserer Persönlichkeitsstruktur gehören und damit zum Leben und dass sie letztlich genauso Äußerung des Göttlichen sind wie Freude, Friede und Ausgeglichenheit. Alles, was wir seinlassen können, hat die Tendenz, ins Angenehme überzuwechseln. Wogegen man sich aber wehrt, das packt einen.

Wir üben reine Beobachtung, reine Aufmerksamkeit ohne jede Wertung, ohne Besetzenlassen. Emotionen müssen unbeirrt und standhaft durchlebt werden. Kein Kommentar, kein Fortziehenlassen, kein Verzerren. Das Gefühl ist wie eine Wolke, die über den blauen Himmel zieht, ihn vielleicht verdunkelt, aber nicht bleibt. [13]

Unser Ich ist kostbar. Und macht uns zum Menschen.

Unser Ich ist die Abgrenzung, die uns Gestalt und Form gibt. Es ist der „Löwe" (Form), in dem sich das Gold offenbart. Es ist das, was uns zur Person macht, damit das Göttliche durchtönen (lat. personare) kann. Es ist absolut notwendig, es ist koexistent mit dem anderen Aspekt der Wirklichkeit. Das Krankmachende ist nur die Überheblichkeit des Ich. Dann wird es nämlich undurchlässig für das Göttliche.

Unser Ich ist also eine Kostbarkeit. Dazu gehört auch unser Körper, die materielle Schicht, die Psyche, der Intellekt. Daher rührt alle Ehrfurcht vor dem, was Form hat; spricht sich darin doch die letzte Instanz aus.

Das Ich macht uns zum Menschen. Es ist kulturschaffend und schöpferisch

[13] Sinn des Lebens, S. 188f

in Fortschritt und Entwicklung auf allen Gebieten. Wir dürfen es in keinem Augenblick negativ sehen. Negativ ist nur, dass es sich herrisch auf den Kutscherbock gesetzt hat und ohne rechte Orientierung durch das Leben fährt. Allzu oft wirft es den Wagen um. Es hat zu lernen, seine Orientierung aus der Tiefe des wahren Wesens zu holen. Es muss zurückfinden zur Ganzheit.

Der Mensch grenzt sich innerhalb dieser Ganzheit ein Stück ab und sagt: „Das gehört mir." Er zäunt gleichsam ein Stück Land ein. Zudem sagt er ‚mein'. Das Land war seit Urzeiten da und wird auch nach dem Besitzer noch da sein. Das Land wird vom Zaun nicht berührt. Und Sonne, Regen. Wind, Insekten und Vögel nehmen davon keine Notiz. Der Zaun existiert in Wirklichkeit nicht. Es sei denn, man glaubt an ihn. Die Idee des eigenen Grundstückes ist davon abhängig, dass Besitzer und einige andere daran glauben. Der Zaun ist das Ich des Menschen, das nur als Idee existiert.

Mit seinem Ich grenzt der Mensch sich ab und aus. Das Ich erschafft Polarität. Das Ganze ist das Innen und Außen. [14]

Und doch. Trotz aller Kostbarkeit bleibt unser Ich immer nur: der Postbote.
Wir benehmen uns auf unserem Planeten wie die Braut jenes jungen Mannes, der weit weg von seiner Liebsten arbeitete, ihr aber Briefe schrieb und versprach, er werde sie heiraten, sobald er nach Hause komme. Eines Tages schrieb ihm die Braut, sie werde den Postboten heiraten.

Unser Ich ist nur der Postbote. Wir sind leider mit dem „Postboten verheiratet" und begreifen unser wahres Wesen nicht. Es wartet etwas auf uns, mit dem wir EINS sind. [15]

---

[14] Sinn des Lebens, S. 93f
[15] Geheimnis jenseits aller Wege, S. 34

Wenn das Ich uns aber eine Welt vorgaukelt, die es gar nicht gibt, uns so sehr in Angst und Schrecken versetzt, dass wir nicht über den Wellenrand schauen können, nie das Meer in uns entdecken und uns von seinen Launen terrorisieren lassen – ist das Ich dann der Bösewicht, den wir loswerden müssen?

Das Ich in seine Schranken weisen.

Das klingt so, als sei das Ich ein Übel, von dem der Mensch sich befreien muss.

Nein, das ist nicht gemeint. Es geht der Mystik nicht darum, das Ich zu beseitigen und zu bekämpfen. Sie will das Ich lediglich in seine Schranken verweisen und ihm das Gewicht beimessen, das ihm gebührt. Darum strebt sie danach, das Ich als das zu erkennen, was es wirklich ist: ein Organisationszentrum für die personale Struktur des je individuellen Menschen. Dieses Organisationszentrum ist für unser Leben unverzichtbar. Es macht uns zu Menschen. Das ist für die Mystik selbstverständlich. Die mystische Erfahrung aber bringt den Menschen dahin, dass er sich nicht mehr mit diesem vordergründigen Ich identifiziert und dadurch frei wird für eine Wirklichkeit, in der das Ich nicht mehr dominiert.

Verlassen Sie damit nicht den Boden des westlichen Denkens? Anders als in der östlichen Spiritualität messen wir Abendländer dem Ich doch ein weit größeres Gewicht bei. Hier scheint ein Unterschied der spirituellen Traditionen vorzuliegen.

Es handelt sich dabei nicht so sehr um einen Unterschied zwischen östlicher und westlicher als zwischen mystischer und nicht-mystischer Spiritualität. Bei Eckhart und Johannes vom Kreuz findet man Aussagen, die in die gleiche Richtung gehen wie diejenigen östlicher Weisheitssucher. Für sie ist das Ich ein Konglomerat von Konditionierungen, die wir uns im Laufe des Lebens angeeignet haben. Über viele Jahre hin bauen wir eine Identität auf, die wir „Ich" nennen. Elternhaus, Schule, Religion, Gesellschaft,

Partner, Freunde, Ideale, Ängste, Wünsche, Vorurteile, Illusionen trugen dazu bei. Mit dieser Ansammlung von Mustern identifizieren wir uns. Wir verteidigen unser Ich mit Wut und Angst. Wir beurteilen es, verurteilen es bei uns und bei anderen. Wir sind stolz darauf und machen uns Schuldgefühle. Dadurch wird die Illusion des Ich verstärkt. Dieses Ich hat aber in Wirklichkeit keine Substanz. Es besteht aus erlernten Konstrukten und ist lediglich ein Funktionszentrum, das von unserem eigentlichen Wesen wie ein Instrument benützt wird. Es wird mit unserem Tod untergehen. Was bleibt, ist unsere wahre göttliche Identität. Ob ein individuelles Kontinuum über den Tod hinaus erhalten bleibt, ist für mich nicht wichtig. Was wirklich weitergeht, ist das göttliche Leben, das weder geboren ist noch sterben kann. Das ist meine wahre Identität. [16]

Wenn Willigis die Frage stellt: Wer bin ich? (Oder: Was ist ein Mensch?), dann reichen die Erkundungen des Ich-Bewusstseins im Menschen allein nicht aus. Ganz offenkundig hat jeder Mensch auch einen Körper. Der uns zu einem Tanzschritt Gottes macht und kein „gefrorener Eisklumpen" ist.

Menschsein heißt, einen Körper zu besitzen.
Das Eine und das Viele. Zwei Extreme hat Zen dabei allerdings zu vermeiden: Die Überbetonung des Individuums und die Auflösung im Alleinen. Als Menschen sind wir eine ganz individuelle Struktur des Urprinzips, unverwechselbar und einmalig. Wir sind der einmalige Tanzschritt des „Tänzers Gott". Wir sind die einzigartige Note in der „Symphonie Gott". ER/ES hat diese Symphonie nicht komponiert, um sie sich nun ständig vorzuspielen. ER/ES erklingt als diese zeitlose Symphonie. ER/ES erklingt auch als diese ganz individuelle Struktur meiner Person. ER/ES klingt in jedem einzelnen Ding einmalig als Raum und Zeit.

[16] Die Welle ist das Meer, S. 34f

Menschsein heißt nicht: einen materiellen Körper besitzen, der Geist entwickelt hat, sondern nichtmaterielles Bewusstsein zu sein, das diese individuelle menschliche Struktur kreiert. Der Kosmos ist intelligente Energie, die sich in den verschiedensten Strukturen und so auch im Menschen offenbart. Wir sind auch dieser Urgrund der diese Erfahrung als Mensch macht. Und darum finden wir uns in unserem tiefsten Wesen eins mit dem ganzen Kosmos. Ich bin nicht getrennt. Ich bin der Vollzug dieses Energiestromes. Die Botschaft von der Inkarnation Jesu will uns nichts Anderes verkünden, als dass wir göttliches Leben sind, das sich inkarniert hat. Am Tag seiner Erleuchtung erkannte Shakyamuni Buddha: Alle Wesen kommen aus dieser Urnatur. Das Universum ist nichts anderes als die fortwährende Materialisierung dieser hintergründigen Bewusstheit.[17]

Unser Körper ist kein gefrorener Eisklumpen.

Unser Körper ist so leer wie interstellarer Raum. Der Körper ist zusammengesetzt aus Atomen und subatomaren Teilchen, die mit Lichtgeschwindigkeit erscheinen und verschwinden, kollidieren und sich neu verbinden. Sie sind keine materiellen Objekte, auch wenn sie uns für weniger als einen Augenblick so erscheinen. Wir sind fluktuierende Energie in einem Feld von Energie, das uns umgibt. Wenn wir unseren Körper sehen könnten, wie er wirklich ist, würden wir eine gähnende Leere erkennen. Jedes Atom ist ein vollkommenes Solarsystem für sich, ein leerer Raum mit einigen Punkten und elektrischen Entladungen. Leerheit ist der eigentliche Grund unseres Seins und des Seins überhaupt. Leerheit aber ist nicht nichts. Sie ist vielmehr höchstes Bewusstsein, das sich im materiellen Körper ausdrückt. Der Körper kommt und geht, aber Bewusstsein bleibt für immer. Es ist jenseits von Raum und Zeit. Wenn wir das erfahren, verschwinden die Probleme des Ich-Bewusstseins. Wir würden dann erkennen, dass wir eigentlich nicht-menschliche Wesen sind. Wir sind nicht-menschliche Wesen, die sich gerade als Menschen erfahren.

---

17 Zen im 21. Jahrhundert, S. 43 f

Diese Erkenntnis verwandelt jede Identitätskrise und verändert unsere Beziehung zu unseren Mitmenschen. Das Universum ist nichtlokalisierbares Bewusstsein, das sich von Zeit zu Zeit in körperlichen Strukturen manifestiert. Dieses eine Bewusstsein ist interagierend in Strukturen des Mikro- und Makrokosmos.[18]

Zu uns Menschen gehören also sowohl ein Ich-Bewusstsein, über das es offenkundig viel zu lernen gibt, als auch ein Körper. Zu jedem einzelnen der acht Milliarden Menschen auf der Erde. Acht Milliarden Ich-Bewusstseins in acht Milliarden Körpern. Was die Frage aufwirft: Wie verhalten sich eigentlich die Ich-Bewusstseins in den Körpern zueinander? Für die Antwort zieht Willigis Jäger den Horizont erst mal noch größer, weitet ihn ins Universum.

Wir sind zuerst Netz. Und dann erst Masche.

Es existieren offensichtlich parallele Universen. (...) Auf Millionen von Planeten mag gleiches, ähnliches oder auch ganz anderes Leben herrschen. Dort können völlig andere Naturgesetze gelten, mit anderer Chemie, mit skurrilen Lebewesen. Sogar die Zeit könnte eine andere Richtung einschlagen. Es könnte Wesen – auch in unserer Galaxie – geben, die ganz anders sind als wir und die in einer anderen Weltzeit leben. Wir konstruieren mit unserem Intellekt eine ganz bestimmte Welt, aber das ist nicht die Wirklichkeit.

Mehrmals wurde das Leben auf dieser Erde fast völlig ausgelöscht. Asteroiden, Vulkanausbrüche und ähnliche Katastrophen haben einst das Leben zu 99 Prozent vernichtet, sagt die Forschung. Wer „macht" so etwas? Gibt es einen Gott, der einen Tsunami, ein Erdbeben, einen Asteroiden schickt? Wir sind als Menschen nur eine Masche in einem gewaltigen Netz. Wir sollten endlich begreifen, dass wir zuerst Netz sind, dann erst Masche. Das

18 Sehnsucht, S. 31

heißt, wir sind vor allem eins mit dem ganzen Universum und dann erst einzelne Lebewesen. Aber unser Ich erklärt sich selbst zur Mitte. Dabei sind wir nur ein Wellenschlag in diesem zeitlosen Ozean.[19]

Wenn wir aber, um die Worte von Willigis aufzunehmen, „schleunigst begreifen sollen, dass wir vor allem Netz und dann erst Masche" sind. Und wenn es zudem, angesichts von Klimawandel und Klimamigration, um lediglich zwei Bereiche der gegenwärtigen Polykrise zu benennen, wichtiger denn je wird, dass wir uns zuerst als Netz und dann als Masche begreifen: Wie erlangen wir denn diese Erkenntnis, diesen für unser Überleben als Menschheit so wichtigen Perspektivwechsel?

Tja, zuckt Willigis mit den Schultern. Da helfe nur Geduld. Viel Geduld. Denn:

B **is das Ich sich wandelt, dauert es.**
Der Mystik aller Religionen geht es um einen Persönlichkeitswandel. Der Mensch soll erfahren, wer er wirklich ist.

Der Mensch ist mehr als Körper und Ich-Bewusstsein. Die mystischen Wege wollen in eine Selbsterfahrung des ganzen Menschen führen, also auch seiner transpersonalen Existenz. Hier aber scheiden sich die Geister seit eh und je. Wer diese andere Ebene als irrational oder gar als psychopathologisch ablehnt, der klammert eine Hälfte der menschlichen Persönlichkeit bewusst aus. Er negiert damit die eigentlichen Kräfte, die einen Bewusstseinswandel im Menschen hervorbringen und ihm helfen könnten, seine Zeitprobleme zu bewältigen. Bewusstseinswandel stand am Anfang einer jeden neuen Epoche. Genau das ist das Ziel der mystischen Wege.

---

[19]   Geheimnis jenseits aller Wege, S. 33

Wir sind im Allgemeinen geneigt, unsere Probleme nach dem Grundsatz der Christlichen Arbeiterjugend zu lösen: „Sehen, urteilen, handeln." Das ist recht und gut. Wir erkennen eine Sache als falsch und ändern sie mit guten Vorsätzen und Taten. Die Mystik hat einen anderen Weg. Sie versucht, den Menschen von innen zu wandeln. Die Erfahrung der transpersonalen Ebene lässt ihn die tieferen Zusammenhänge menschlichen Lebens erkennen. Sie wandelt den Kern der Persönlichkeit. Aus dem gewandelten Menschen kommen dann neue Verhaltensweisen, Wertungen und Intentionen. Die Ethik dieser gewandelten Persönlichkeit erweist sich als viel tragfähiger als willentliche Vorsätze, mit denen, wie wir sagen, oft die Straße zur Hölle gepflastert ist.

Der Mystiker ist allerdings der letzte, der sich Illusionen hingibt. Er weiß aus eigener Erfahrung, wie schwer und langwierig der Weg zum Persönlichkeitswandel ist. Daher ist er offen für jede Form der Zusammenarbeit, um die Probleme unserer Gesellschaft zu lösen.[20]

Auch wenn wir erst Netz und dann Masche sind: Niemand, der ernsthaft die Frage nach dem Menschsein aufbringt, wird um das Ende jedes Menschen, den Tod, herumkommen. Es ist das hundertprozentige Ende jeder einzelnen von acht Milliarden Menschen-Maschen auf der Welt. Willigis Jäger hat sich von einer Erfahrung überzeugen lassen: Das Leben endet nie.

Es gibt keinen Tod.
Als es mir persönlich vergönnt war, die Grenzen des Ich zu überschreiten, habe ich erkannt, dass es kein Sterben gibt. Einmal stand ich an der Schwelle und war bereit zu gehen. Es war kein Zu-Ende-Kommen, es war ein Eingeladen-Werden in eine umfassende, beglückende Wirklichkeit. Eine unglaubliche Stille entstand. Ich könnte auch sagen, eine Leere,

[20] Sinn des Lebens, S. 76f

aber die Leere hatte eine Qualität. Sie lud mich ein zu kommen. Aber die Zeit zu gehen war noch nicht da. Mir wurde klar bedeutet: Hinüber-Wollen ist nicht möglich. Du musst gerufen werden. Die Dinge waren, was sie sind. Und plötzlich gab es auch keine Spaltung, kein Gegenüber mehr, sondern nur Einheit.

Was zurückblieb war die Gewissheit, dass ich nicht das bin, was ich gemeint hatte, zu sein, und dass alles aus der Essenz kommt, die wir Gott nennen, und nichts kann davon getrennt sein. Und noch etwas wurde mir klar: Nicht einmal das, was wir böse nennen, ist getrennt. Es ist nur Mangel an Erkenntnis.

Eine tiefe Ehrfurcht vor den und dem Anderen und eine heilige Ehrfurcht vor mir selbst, vor meiner eigenen Würde und selbst vor der Würde von Terroristen und Menschenschindern erfüllte mich. Nichts ist ausgenommen. Jedes Wesen ist ein leuchtendes spirituelles Zentrum. Wenn die Hülle geht, erfährt der Mensch seine Herkunft und stellt fest, dass er nie woanders war. Die Erfahrung floss in eine tiefe Demut und in einen klaren Auftrag: Anderen zu dieser Erfahrung zu verhelfen. [21]

Wenn es den Tanzschritt nicht ohne den Tanz, die Goldmünze nicht ohne das Gold, die Düne nicht ohne den Sand und die Welle nicht ohne das Meer gibt, dann kann es den Menschen auch nicht ohne Gott geben.

Das Ich ohne das Göttliche bleibt ein halber Mensch.
Zum Menschen gehört das Personale und das Transpersonale oder, wie wir in der religiösen Sprache sagen, das Menschliche und das Göttliche. Es ist ein Koordinatensystem Natur – Übernatur.

[21] Das Leben endet nie, S. 87

Nur wenn wir in der Mitte dieses Koordinatensystems stehen, können wir ganz Mensch sein. Wer dieses Göttliche in seiner Existenz vernachlässigt oder gar negiert, bleibt in seinem Wachstumsprozess stecken. Er bleibt ein halber Mensch.[22]

Wenn der Mensch ohne das Göttliche aber nur ein halber Mensch ist, folgt die nächste Frage auf dem Fuß: Wer ist Gott?

[22] Integrale Spiritualität, S. 348f

2. Wer ist Gott?

In seinen Büchern schreibt Willigis Jäger viel und oft über Gott. Zu den Namen und den Bildern, die er findet, kommen wir gleich. Grundsätzlich aber vorab: Wenn der Mensch ohne das Göttliche nur ein halber Mensch ist, muss die Einheit, respektive die Trennung, von Gott und Mensch auch aus der anderen, der göttlichen Perspektive gedacht werden können. Das macht Willigis Jäger. Und beklagt die Trennung von Gott und der Welt, die Gott zu sehr ins Jenseits schicke.

Wir haben Gott zu sehr ins Jenseits verschoben. Gott kann nichts Abgespaltenes sein, er kann nicht gegenüberstehen, von uns getrennt, sondern er ist die Quelle, die uns hervorbringt. Jedes Seiende ist in das Eine eingefügt. Das führt zu einer umfassenden Lebenserfahrung mit und aus Gott und zu einem sinnerfüllten Leben. Aus dem „An Gott Glauben" wird ein „Aus Gott Leben". Gott verströmt sich im Menschen.

Wir haben Angst, so etwas zu sagen. Der Unterschied zwischen Gott und Mensch ist uns, fast hätte ich gesagt, eingetrichtert worden, die Einheit von Gott und Mensch hätte uns viel stärker vermittelt werden können. Wir haben Gott und den Menschen, Gott und Welt auseinandergerissen. Wir haben Gott zu sehr ins Jenseits geschoben. Der Gott im Jenseits und der Mensch im Diesseits verfestigte die dualistische Trennungslinie zwischen Gott und Welt, was auch die Trennung von Macht und Unterordnung nach sich zog, die Trennung von Mensch und Natur, von Mann und Frau. Wir haben Gott ins Jenseits verschoben und uns für anders, für autonom erklärt. [23]

23 Sehnsucht, S. 88

Bleiben wir bei dem, was Gott nicht ist. Oder nicht macht. Denn:

Da sitzt nicht irgendwo ein Gott, der die Welt regiert.
Die Worte Theismus und Atheismus machen für mich keinen Sinn. Da sitzt nicht irgendwo ein Gott, der diese Welt regiert. Ich erfasse nur diesen Seinsgrund, aus dem alles quillt, was wir begreifen, und das Viele, das wir nicht begreifen. Das hat mit einer Person nichts zu tun.[24]

Wie viele Mystiker*innen es tun, wendet Willigis den Blick radikal ins Diesseits. Und sagt mit Joseph Beuys:

Gott findet sich nur im Alltag.
In diesem Zusammenhang zitiere ich gerne ein Wort von Joseph Beuys: „Das Mysterium findet im Hauptbahnhof statt." So ist es. Gott manifestiert sich im Alltag – und nur da ist er zu finden. Meister Eckhart hat diese Wahrheit sehr plastisch an seiner eigenwilligen Auslegung der biblischen Geschichte von Maria und Martha (Predigt 28) dargestellt. Nicht Maria, die in Verzückung zu Jesu Füßen sitzt, sollte Vorbild sein, sondern Martha, die sich abrackert und Jesus bedient. Martha ist auf dem spirituellen Weg weiter als Maria, sie kennt die mystische Erfahrung und lässt ihren Alltag davon durchdringen, während Maria sich noch in den Freuden der Verzückung ergeht. Maria muss durch ihre Erleuchtungser-fahrung noch hindurchgehen, um wieder in den Alltag zu kommen. Dort, in den einfachen Dingen, gilt es, die göttliche Wirklichkeit zu erfahren. Gott will nicht verehrt, er will gelebt werden. Nur aus diesem Grund sind wir Mensch geworden, weil Gott in uns Mensch sein möchte.[25]

Über die Jahre und über die verschiedenen Veröffentlichungen findet (und erfindet) Willigis Jäger viele Namen Gottes. Poetische,

---

[24] Geheimnis jenseits aller Wege, S. 40
[25] Die Welle ist das Meer, S. 26f

theologische und auch Bilder aus der Alltagssprache. Aber lesen Sie selbst, welche Namen er für Gott findet. Wobei er den Namenlosen nicht weglässt.

P oetisch ausgedrückt ist Gott das Wasser des Lebens.
Von den Strömen des lebendigen Wassers ist hier die Rede. Wasser, das aus unserem Innern fließt. Wasser ist Symbol für das göttliche Sein. Unser tiefstes Wesen ist göttliches Sein.

Am Jakobsbrunnen sprach Jesus ebenfalls von diesem Wasser des Lebens: „Wer von diesem Wasser trinkt, wird wieder Durst bekommen", sagt er zur Frau. „Wer aber von dem Wasser trinkt, das ich ihm geben werde, wird niemals mehr Durst haben; vielmehr wird das Wasser, das ich ihm geben werde, zur sprudelnden Quelle, deren Wasser ewiges Leben schenkt." (Jo 4,14)

Wir Menschen haben einen existentiellen Durst. Wir versuchen, diesen Durst an vielen Quellen zu stillen, indem wir vielen Dingen nachlaufen. Hier trifft sich die Aussage Jesu mit der Aussage Buddhas und den Aussagen anderer heiliger Bücher.
Solange der Mensch nur Durst nach Nahrung, Vergnügen und vordergründigen Dingen hat, ist das Leid unumgänglich. Obwohl er seinem Triebbedürfnis nachgibt, wird es sich periodisch immer wieder melden, und er kann sein Leben verschleißen im Gang zu immer neuen Brunnen, bis er merkt, dass er in Wahrheit gar nicht den Durst des Leibes löschen will, sondern die viel tiefere Sehnsucht nach dem Wasser des Lebens, die Sehnsucht nach ewigem Leben.[26]

---

[25] Die Welle ist das Meer, S. 26f

Wer es lieber theologisch mag:

D as Universum als Selbstoffenbarung Gottes.
Wir sind gewohnt, Offenbarung Gottes (Offenbarung der Letzten Wirklichkeit) als etwas zu verstehen, was uns erzählt worden ist. Gott hat einen Propheten etwas erfahren lassen. Dieser fasste es in Worte und verkündete es allen. Das gleiche nehmen wir auch von Jesus an. Die Mystik des Ostens und des Westens aber versteht unter Offenbarung „Erfahrung". Das Göttliche offenbart sich dem Menschen viel intensiver direkt im Geschehen des Augenblickes. Da findet er die wirkliche Gegenwart Gottes. Nur da kann er Gott „erleben". Über den Verstand kann er Gott nur wissen. Von diesem Gott sagt Eckhart: „Wenn der Gedanke vergeht, vergeht auch Gott." Ich habe schon oft das Beispiel von Ast und Baum erzählt. Wenn der Ast sich als Ast erfährt und die anderen Äste um sich herum wahrnimmt und von Stamm und Wurzel hört, erfährt er sich bildlich gesprochen im Ich-Bewusstsein. Wenn er sich aber von innen erfährt, dann erfährt er sich als Baum. Dann erfährt er, was er wirklich ist.[27]

Alltagssprachlich besinnt sich Willigis auf den Computer.

G ott hat viele Computerprogramme.
In unserem Milchstraßensystem gibt es Milliarden (...) leuchtende Sterne. (...) Wie viele wir nicht erkennen können, wissen wir nicht. Wir stehen also vor einer multidimensionalen Welt und können nur einige Dimensionen davon erfassen. Hans-Peter Dürr gab in einem Vortrag folgendes Beispiel: Wir stehen vor dem Universum wie ein Analphabet vor einem herrlichen Gedicht. Da er nicht lesen und schreiben kann, schaut er sich das Ganze gründlich an und stellt fest, dass manche Zeichen sich ständig wiederholen. Er fängt also an, diese Zeichen zu zählen, zu ordnen und zu katalogisieren. Am Schluss weiß er, dass dieses Papier soundsoviele

---

[27] Sinn des Lebens, S. 27f

Zeichen a, b, c usw. hat. Er ist stolz auf sein gelungenes Forschungswerk. Verstanden von diesem Gedicht hat er aber nichts. Das Universum, das vor undenklichen Lichtjahren entstanden ist und wohl unendlich weitergehen wird – Untergang von Welten und Entstehen von neuen Welten gehört wesentlich zum Strukturprinzip dieses Universums –, ist für unseren Verstand nicht begreifbar. Es ist offensichtlich arational organisiert. Rationalität ist nur ein „Computerprogramm". Gott hat viele solcher Programme.[28]

Gott hat aber dann doch einen Namen. Einen vielfältigen. Den Willigis durch die modernen Naturwissenschaften gedeckt sieht.

Der Name Gottes.

Der Name Gottes ist heute mehr denn je: Eins. Einheit, Einfältigkeit, Ganzheit. Dieses Eine entfaltet sich in der Evolution wie ein Fächer aus der „Einfältigkeit" in die „Vielfalt". Das Göttliche offenbart sich polar. Es hat zwei Aspekte: Einheit und Vielheit.

(...)

Wir kommen leider zu keiner Aussage, ohne dass wir Begriffspaare bilden. Diese Begriffspaare als Einheit der Wirklichkeit zu erleben, ist die mystische Erfahrung. Nur in der Erfahrung lassen sich Begriffspaare überschreiten. Und nur wenn wir sie transzendieren, erfahren wir, was Wirklichkeit ist. Zen nennt diese beiden Aspekte der Wirklichkeit Leerheit und Form. „Form ist wirklich Leerheit, Leerheit wirklich Form." Das Göttliche ist eine bipolare Einheit. Es gehört nicht auf die Seite eines Poles. Es ist das, was beide Pole in der Einheit transzendiert.

Diese Wirklichkeit ist aber mit der üblichen Gottesvorstellung nicht zu beschreiben. Sie ist – um das noch einmal zu betonen – nicht der Gott, den sich Menschen gemacht haben, sondern sie ist diese letzte Wirklichkeit, die nur als Geist und Materie existiert und nur in einer transpersonalen Erfahrung wirklich begriffen werden kann.

---

[28] Sinn des Lebens, S. 24

Stärkeres Eingehen auf die Astrophysik und die Relativitätstheorie hätten der theistischen Theologie geholfen, in der Gottesvorstellung mit der allgemeinen Entwicklung des Bewusstseins Schritt zu halten. Sind doch viele Spitzenwissenschaftler wie Planck, Einstein, Born, Bohr, Jordan, Bohm, Heisenberg an die Grenze des rationalen Wissens gestoßen und reden offen von dieser anderen Instanz, die nicht mehr mental erfassbar ist, die sich der mathematischen Formel entzieht, aber zu dem gehört, was wir Wirklichkeit nennen. Und sie sind überzeugt, dass diese letzte Instanz andere Fähigkeiten besitzt als unser Ich-Bewusstsein und dass es letztlich diese Fähigkeiten sind, die mit Hilfe des Ich-Bewusstseins alle Evolution vorantreiben.[29]

Noch einmal anders, und im längeren Ausschnitt gelesen vielleicht besonders hilfreich, beantwortet Willigis Jäger die Fragen nach den Namen Gottes. Hier ein Dialog über ganz unterschiedliche Worte als Annäherung an Gott. Und die Frage:

Gott, Leben, Liebe, Evolution – Macht es überhaupt Sinn von Gott zu reden?

Sie sagen: Gott ist die Evolution. Macht es da überhaupt noch Sinn, von Gott zu reden?

Wir können auf dieses Wort kaum verzichten. Doch wir sollten immer deutlich sagen, wie wir es verstanden haben wollen. Denn im Alltagsverständnis ist es mit der traditionellen theistischen Vorstellung einer jenseitigen personalen Macht verknüpft. Deshalb spreche ich, wenn ich von dem rede, was mit dem Wort „Gott" wirklich gemeint ist, lieber von „Erster Wirklichkeit". Das Zen spricht von „Leerheit", der Hinduismus von „Brahman", Meister Eckhart von „Gottheit", Johannes Tauler vom „letzten Grund". Wie man es auch hält: Stets ist damit dasjenige gemeint, worüber man eigentlich nichts mehr sagen kann – ein Begriff ohne bestimmbaren Inhalt, ein Begriff, der so anders ist als alle anderen

[29] Sinn des Lebens, S. 85f

Begriffe, dass Eckhart sagen konnte: „Der Unterschied zwischen Gott und Gottheit ist größer als der zwischen Erde und Himmel."

In Ihren Büchern rücken Sie auch den Begriff des Lebens in die Nähe zum Begriff „Gott".

„Leben" ist ein geeigneter Begriff, um die Wirklichkeit, die wir „Gott" nennen, zu kennzeichnen. Denn auch das Leben entzieht sich unserem Zugriff. Wir wissen weder, woher es kommt noch wohin es geht. Leben ist überall und nirgendwo. Es zeigt sich in jedem einzelnen Lebewesen, aber es ist immer auch mehr als ein Lebewesen. Genauso ist es mit der Ersten Wirklichkeit. Sie ist da, ist aber nur greifbar in der Form, die sie sich gibt. Sie selbst ist Leerheit, die der Form bedarf, um zu erscheinen. Denn ohne die Leerheit könnte es auch keine Form geben, da die Form immer Form der Leerheit ist. Genauso ist es mit dem Leben: Das Leben ist in jedem Lebewesen, denn ohne Leben wäre ein Lebewesen kein Lebewesen. Aber das Leben geht nie in einem bestimmten Lebewesen auf. Es ist immer größer als das einzelne Wesen. Es kommt und geht mit den Lebewesen und bleibt doch unfassbar.

Verstehe ich Sie richtig, dass Sie Leben und Gott nicht nur in Analogie zuein-ander setzen, sondern als zwei unterschiedliche Bezeichnungen der Ersten Wirklichkeit betrachten?

Ja, sofern man unter „Leben" diese große, durch alle Wesen hindurchge-hende treibende, unfassbare Energie des Einen versteht. Diese Kraft kann ich Leben Gottes nennen. Man kann sie mit Charón auch „Liebe" nennen – freilich nicht die personale Liebe, sondern Liebe im Sinne einer abso-luten Offenheit für alles und jedes. In diesem Sinne nämlich ist Liebe das Strukturprinzip der Evolution – die Bereitschaft eines Atoms, sich mit einem anderen Atom zu einem Molekül zu verbinden, die Bereitschaft der Moleküle, gemeinsam eine Zelle zu bilden, und die Bereitschaft der Zellen, zu einem größeren Organismus zu werden. Diese Bereitschaft zur Selbst-transzendenz ist überall im Kosmos erkennbar. Sie ist die eigentlich trei-bende Kraft des Lebens und der Evolution. Nur wer seine eigene Identität wahren und gleichzeitig über sich hinausgehen kann, hat in der Evolution eine Überlebenschance.

Die klassische Evolutionstheorie lehrt aber, dass nicht die Liebe der Motor der Evolution ist, sondern das Prinzip, wonach der Stärkere sich durchsetzt: survival of the fittest.

Das ist nicht unbedingt immer so. Wir wissen heute, dass es in der Evolution nicht nur auf Stärke ankommt, sondern auch auf die Fähigkeit zur Anpassung und Kooperation. Nicht nur der mit dem größten Gebiss und dem giftigsten Stachel hat sich durchgesetzt, sondern auch Biotope – lebende Systeme, die perfekt miteinander harmonieren und gleichzeitig die Fähigkeit besitzen, sich zu öffnen und zu transzendieren. In sich geschlossene Systeme hingegen gehen zugrunde, wie man an Krebserkrankungen und an inzestuösen Familien erkennen kann.

Gott, Leben, Liebe, Evolution – vier Namen für die gleiche Wirklichkeit?

Ja. Gott lässt sich nicht von der Evolution trennen. Gott ist Kommen und Gehen. Gott ist Geborenwerden und Sterben. Er ist der Tänzer, der die Evolution tanzt. Ein Tänzer ohne Tanz macht keinen Sinn – und einen Tanz ohne Tänzer kann man ebenso wenig denken. Auf diese Weise gehören Gott und Evolution zusammen. Das eine ist ohne das andere nicht denkbar. Oder nehmen wir das Beispiel einer Symphonie: Der Kosmos ist eine Symphonie, und das, was wir „Gott" nennen, erklingt als diese Symphonie. Jeder Ort, jeder Augenblick, jedes Wesen ist eine ganz bestimmte Note, die je für sich unverzichtbar für das Ganze ist, auch wenn sie im nächsten Augenblick durch eine andere Note abgelöst wird. Alle Noten machen das Ganze aus, alle Noten sind das Ganze – und das, was die Ganzheit des Ganzen ausmacht, ist Gott, der als dieses Ganze erklingt.

Das hört sich so an wie eine subtile Neufassung des christlichen Gedankens der Inkarnation: Gott inkarniert sich als kosmische Symphonie.

Gott inkarniert sich im Kosmos. Er und seine Inkarnationen sind unlösbar miteinander verbunden. Er ist nicht in seiner Inkarnation, sondern er manifestiert sich als Inkarnation. Er offenbart sich im Baum als Baum, im Tier als Tier, im Menschen als Mensch und im Engel als Engel. Es sind dies also nicht Wesen, neben denen es dann noch einen Gott gäbe, der gleichsam in sie hineinschlüpfte, sondern er ist jedes einzelne dieser Wesen – und ist es auch wieder nicht, da er sich nie in einem von ihnen erschöpft, sondern immer auch alle anderen ist. Eben diese Erfahrung macht der Mystiker. Er erkennt den Kosmos als sinnvolle Manifestation Gottes, während sich manche Menschen dem Kosmos gegenüber verhalten wie Analphabeten gegenüber einem Gedicht: Sie zählen die einzelnen Zeichen und Worte, aber sie sind nicht imstande den Sinn zu verstehen, der dem ganzen Gedicht seine Gestalt gibt.[30]

Trotz so vieler Namen ist noch nicht alles gesagt. Denn Willigis spricht noch über eine ganz andere Seite Gottes.

G ott hat auch eine dunkle Seite. Je tiefer wir in die Geheimnisse des Makrokosmos' und des Mikrokosmos' eindringen, umso mehr müssen wir erkennen, dass Gut und Böse zwei Seiten derselben Münze sind. Gott ist nicht nur das, was wir gütig, liebevoll, gnädig, barmherzig nennen. Gott hat auch eine dunkle Seite, die wir Menschen uns nur schwer erklären können; denn zu dieser dunklen Seite hat unser Verstand keinen Zutritt. Sie bleibt ein Mysterium, für das auch die Theologie nur unbefriedigende Antworten bereithält.

Das Böse einzig dem Menschen anzulasten, hält einem kritischen Blick nicht stand. Wir müssen uns bewusst sein, dass wir das Böse nicht aus der Evolution herausnehmen können, denn dann würden wir wieder einen Teufel, einen Widersacher außerhalb von Gott schaffen. Was wir böse nennen, gehört ebenso zum evolutionären Geschehen dazu wie das, was wir gut nennen. Denn auch das Sündhafte ist eine Manifestation dieses Urgrundes. Das bedeutet nicht, dass der Mensch nun tun und lassen könnte, was er will – die Erfahrung der Einheit lässt dies gar nicht zu.

Dass auch das Böse Teil des evolutionären Geschehens ist, drückte Meister Eckhart in einer seiner Predigten aus: „In jedem Werk, auch im bösen, im

Übel der Strafe ebenso sehr wie im Übel der Schuld, offenbart sich und erstrahlt gleichermaßen Gottes Herrlichkeit."

Aufgrund solcher Aussagen wurde er von der Inquisition der Ketzerei bezichtigt. Begreifen lassen sie sich nur auf einer tieferen Ebene der Einheit, so wie auch die folgenden Worte: „Wer jemanden mit einer Schmähung lästert, lobt Gott durch eben diese Sünde der Schmähung; und je mehr er schmäht und je schwerer er sündigt, umso kräftiger lobt er Gott." Das ist keineswegs eine Aufforderung, Böses zu tun, sondern bringt die Erfahrung zum Ausdruck, dass im evolutionären Geschehen nichts „Außergöttliches" entstehen und existieren kann.

Die Frage nach dem Bösen lässt sich nur auf der Ebene einer tiefen mystischen Erfahrung lösen. Unser wahres Wesen, diese strukturlose Potenz, kennt weder Geborenwerden noch Sterben und ebenso wenig gut oder böse. Auf dieser Ebene, auf der es noch kein Für und kein Wider gibt, ist alles ohne Unterschied der Vollzug des göttlichen Urprinzips. Was wir böse nennen, ist die dunkle Seite Gottes. Dies ist der Ratio fremd, wir können es nur erfahren. Durch eine solche Erfahrung verschwindet das, was wir böse nennen, zwar nicht aus der Welt, aber es erhält einen ganz anderen Stellenwert.[31]

Aber ganz gleich, welche Bilder auch immer für das Göttliche gefunden werden, fordert Willigis:

Das **Sprechen von Gott muss sich wandeln dürfen.**
Religiöse Modelle und das Sprechen von Gott müssen sich wandeln dürfen. So wie die Naturwissenschaft immer neue Modelle entwirft, an denen sie Erkenntnisse zu verifizieren versucht, sich aber hütet, diese Modelle mit der Wirklichkeit gleichzusetzen, so müssen die Religionen ihre Verstehensmodelle wandeln und bereit sein, neue zu entwerfen.

[31] Liebe, S. 97f

Der Gott der absolut gesetzten Dogmen, dieses überkommene Verstehens-
modell, ist für viele Menschen längst tot. Nicht nur Nietzsche hat das fest-
gestellt, Eckhart bittet bereits Gott, dass er ihn dieses Gottes quitt mache.
Wenn ich in einem Zugabteil sage, dass ich katholischer Priester bin, spru-
deln die Mitreisenden sofort heraus, warum sie aus der Kirche ausgetreten
sind, warum sie an diesen christlichen Gott nicht glauben können. Es sind
neben den Untaten, die Religionen begangen haben – und es gibt kaum
eine Untat, die von ihnen im Namen Gottes nicht begangen wurde –, die
festgefahrenen und für absolut erklärten Lehrsätze, die sie nicht mehr
nachvollziehen können. Dadurch wird ein Gottesbild vermittelt, das nicht
mehr in ihr Weltverständnis passt. Es ist der Gott außerhalb, der noch
dazu ein moralischer Wächter und Rächer von Untaten sein soll. Er hat
vielen Menschen eine Neurose verursacht, mit denen sich die Psychothe-
rapie, aber auch eine aufgeschlossene Seelsorge ständig herumschlagen
muss, so dass mancher geneigt ist, das derzeitige christliche Religions-
verständnis selber zur Neurose zu erklären.

Es ist ein für die Psyche destruktives Gottesbild. Dieses Gottesbild muss
erst sterben, bevor ein tragendes Gottes- und Weltbild entstehen kann. Zu
wenige schaffen das leider, so dass sie am Ende sagen könnten: „Gott ist
tot – es lebe Gott!" Viele ziehen lieber aus. Solange das Gottesbild nicht
durch einen hinterfragenden Skeptizismus gegangen ist, hat es für das
Leben der kritischen Erwachsenen keine tragende Kraft. Den Menschen in
diesem Prozess beizustehen, sehe ich als meine wichtigste Aufgabe an.[32]

Trotz all dieser Bilder und aller Versuche, von Gott zu reden, letztlich, befindet Willigis, könne man nur sagen, was Gott nicht ist.

Gott, der Namenlose in Allem

Begriffe und Dogmen sind nur Fenster zur Wirklichkeit. Ein sol-
ches Fenster kann dreieckig oder viereckig oder rund sein. Man kann

[32] Sehnsucht, S. 52f

hindurchschauen, um einen Aspekt des Göttlichen zu erfassen. man darf nur nicht sagen: Gott ist dreieckig, er ist viereckig, er ist rund. Moses erfuhr von Gott keinen Namen, als er ihn danach fragte. Weil er meinte, die Hebräer würden ihm nicht glauben, wenn er nicht Gottes Namen nennen konnte, sagte ihm Gott: „Ich bin, der Ich-bin-da", oder „Ich bin, der ich bin", oder „Ich bin der, der dabei ist". Gott ist nicht etwas, was eine bestimmte Form oder einen Namen hat, er ist der Namenlose, der in allem ist. Daher auch das Gebot, sich von Gott kein Bild zu machen und seinen Namen nicht unnütz auszusprechen. Es soll dem Menschen helfen, sich freizumachen von Gottesvorstellungen. Daraus entspringt wohl auch das Bedürfnis der negativen Theologie, Gott überhaupt keine positive Eigenschaft zu geben. Man kann im Grunde nur sagen, was er nicht ist. Alles, was wir äußern, ist nur hilfloses Gestammel. Darum sagt Eckhart: „Schweig daher und klaffe nicht über Gott, denn damit, dass du über ihn klaffst, lügst du, tust du Sünde." Und an einer anderen Stelle: „Darum bitte ich Gott, dass er mich Gottes quitt mache."[33]

Willigis schreibt aber nicht nur darüber, wer Gott ist oder nicht ist. Er schreibt auch darüber, was Gott will. Oder nicht will.

Gott will nicht verehrt werden.

Gott will nicht verehrt werden, Gott will erkannt und gelebt werden, hier und jetzt. Gott ist der Prozess, der sich in uns und durch uns vollzieht. Er ist die Gestaltungskraft in jeder Gestalt. So, wie er Gestalt war in Jesus, ist er Gestalt in jedem von uns. Deshalb sind wir hier und deshalb ist es unsere Aufgabe, ganz Mensch zu sein und unser Leben zu zelebrieren wie einen Gottesdienst. Gott wird nicht auf diesem oder jenem Berg angebetet. Er wird im Geist und in der Wahrheit angebetet. Ihn als mein Leben zu erfahren, das nenne ich „Gott im Geist und in der Wahrheit anbeten".

---

[33] Sinn des Lebens, S. 41

Jede Religion ist der Weg in die Erfahrung des Kommens und Gehens Gottes, die sich jetzt in dieser Gestalt in mir offenbart.[34]

Und schließlich noch eine letzte Aussage. In der es nicht um Gottes Namen geht. Und auch nicht darum, was er will oder nicht. Sondern um eine Tatsache in Willigis Augen.

Gott wirkt. Und der Mensch wird.

Gott wirkt, und der Mensch wird. Das ist die Gottesgeburt in der Seele. Gott kann nichts Abgespaltenes sein, er kann uns nicht gegenüberstehen, von uns getrennt, sondern er ist die Quelle, die uns hervorbringt. Das führt zu einer umfassenden Lebenserfahrung mit und aus Gott und zu einem sinnerfüllten Leben. Aus dem „An-Gott-Glauben" wird ein „Aus-Gott-leben". Gott verströmt sich als Mensch.

Der Vollzug unseres Lebens ist der wahre Gottesdienst. Gott möchte in uns Mensch sein, an diesem Platz, zu dieser Zeit, an diesem Ort. Das ist der einzige Grund, warum wir Mensch geworden sind. Das, was grenzenlos und zeitlos ist, versucht unser Ich in Grenzen und Zeichen zu erfassen, die unserer Kultur gemäß sind.[35]

Wer bin ich? Hat Willigis sich gefragt. Eine Frage, die er nicht beantworten konnte, ohne die Frage zu stellen: Wer ist Gott? In den ersten beiden Kapiteln ist deutlich geworden, wie eng die eine mit der anderen Antwort für Willigis zusammenhängt. So untrennbar eng, wie es keine Goldmünze ohne Gold und keine Welle ohne Wasser gibt.

[34] Anders von Gott reden, S. 13
[35] Das Leben endet nie, S. 22f

Ähnlich verflochten mit diesen beiden Antwortseiten einer Frage-medaille ist die Antwort auf die Frage nach dem Warum? Warum sind wir hier auf dieser Welt? Für einen Zeitraum, bei dem wir weder Anfang noch Ende bestimmen? Warum also? Oder führt die Frage nach dem Warum in eine Sackgasse und die Frage nach dem Wozu trifft es besser?

Wozu sind wir auf der Welt? Was ist der Sinn? Gibt es einen? Und wenn ja, wie können wir ihn finden?

3. Wozu sind wir hier?

Nach all dem bisher Gesagten über die Untrennbarkeit von Gott und Mensch, wundert es Sie, dass für Willigis der Sinn untrennbar vom Göttlichen ist? Mich ehrlich gesagt nicht. Aber dazu kommen wir gleich. Schauen wir erst, welche Bedeutung Willigis der Frage nach dem Sinn beimisst. Die allerhöchste.

Die Hausaufgabe unseres Lebens.
Die Auseinandersetzung mit dem Sinn seines Lebens ist die wichtigste Aufgabe, die der Mensch zu leisten hat jenseits der Lebensmitte. Letztlich heißt das, dass er sich auf Reifen und Sterben auszurichten hat. Sterben ist der Preis für das größere Leben. Ohne Tod keine Auferstehung zu einer umfassenderen Existenz. Sterben aber will gelernt sein. Wir müssen unseren physischen Körper und unsere ichgebundene Existenz wirklich loslassen. Wer schon in diesem Leben das Lassen eingeübt hat, wird es ins nächste Leben als Grundtendenz hinübernehmen. So geht es wesentlich darum, unsere Grundmuster, Grundstrukturen, Grundtendenzen zum Positiven zu ändern. Sie sind gleichsam ein Netz, das wir neu zu flechten, umzuknüpfen oder zu flicken haben. Das ist die Hausaufgabe unseres Lebens. Nun können wir diese Grundmuster nicht einfach willentlich ändern. Es kommt vielmehr darauf an, dass wir uns von innen her wandeln lassen. Nicht wir verändern uns, sondern das Göttliche entfaltet in uns seine Kraft. (...) Im Fließen des Lebens also liegt unsere wahre Identität. Wir haben kein eigenes Leben. Alles, was existiert, ist das Geglitzer des Göttlichen. Nicht unser Leben leben wir, sondern das Leben Gottes. [36]

---

[36] Sinn des Lebens, S. 35f

Schulaufgaben kann man machen oder nicht machen. Nichtmachen hat oft Nachteile. Aber erstens sind diese Nachteile nicht mal sicher und zweitens sind Schulaufgaben für das Leben oft irrelevant. Wenn uns aber diese eine große Hausaufgabe nicht gelingt, von der Willigis oben spricht, kann es uns passieren, den Sinn unseres Lebens zu verfehlen.

Was ist der Sinn dieser paar Jahrzehnte eines menschlichen Lebens in diesem zeitlosen Geschehen?

Es ist von größter Bedeutung für uns Menschen, unseren wirklichen Standort in diesem zeitlosen Universum zu erkennen. (...) Und eines Tages wird es die Spezies wieder nicht mehr geben. Was ist der Sinn dieser paar Jahrzehnte, die wir auf diesem absolut unbedeutenden Staubkorn am Rande des Weltalls herumlaufen? Milliarden von Sternen, in jeder Galaxie, aufgebaut auf Milliarden von Lichtjahren. Das Universum dehnt sich sogar noch aus. Es soll sogar Paralleluniversen geben, von denen wir keine Ahnung haben, die es aber geben muss, damit unser Universum bestehen kann. Materie macht nicht einmal ein Prozent in diesem Universum aus. Noch einmal die Frage: Was ist der Sinn dieser paar Jahrzehnte eines menschlichen Lebens in diesem zeitlosen Geschehen?[37]

In vielen Varianten antwortet Willigis auf die selbst gestellte Frage. Hier noch einmal anders auf den Punkt gebracht:

Der Sinn unseres Lebens ist es, unser und aller Wesen Göttlichkeit zu erfahren.

Der Sinn unseres Lebens ist es, unser und aller Wesen Göttlichkeit zu erfahren. Wenn Mystiker vom Göttlichen im Menschen sprechen, sagen sie manchmal: „Ich bin Gott." Das wird leicht pantheistisch missverstanden.

---

[37] Zen im 21. Jahrhundert, S. 29

Der Mensch hört nicht auf, Mensch zu sein, aber diese menschliche Form ist die Ausdrucksform Gottes. Wo christliche Mystik nicht durch das Sieb der Dogmatik gepresst ist, drückt sie das ebenso deutlich aus wie die Mystik des Ostens. So sagt Johannes vom Kreuz: „Unser Erwachen ist ein Erwachen Gottes, und unser Auferstehen ist ein Auferstehen Gottes."[38]

Tja. Ganz gleich in wie vielen Varianten ausgedrückt, erst einmal bleibt die Feststellung, der Sinn des Lebens liege darin, dass wir Menschen den Zusammenhang von der Welle, die wir sind, und dem Wasser, aus dem wir sind, zusammenbringen, nur eine Behauptung von Willigis. Oder anders gesagt, wir drehen uns im Kreis: Den Menschen gibt es nicht ohne Gott, Gott nicht ohne den Menschen. Und der Sinn des Lebens liegt darin, das herauszufinden? Warum? Warum soll das so wichtig sein? Vielleicht, weil viele Menschen nicht glücklich sind.

Warum sind wir nicht zufrieden?

Viele Menschen ahnen heute, dass Leben mehr ist als das, was uns die Ebene des Tages-Bewusstseins zu bieten vermag. Sie ahnen, dass es Räume kosmischen Ausmaßes gibt, die mit Intellekt und Sinnen nicht erreichbar sind. Intuitiv erfassen sie, dass nur von dorther das eigene Leben und auch das Leben des ganzen Kosmos seien Sinn erhält. Sie spüren, dass dieses ihr jetziges Leben mehr sein kann. Sie sind unzufrieden. Unzufriedenheit aber ist ein Zeichen, dass Bedürfnisse nicht erfüllt werden. Wenn der Mensch Bedürfnisse verdrängt, wird er krank. (...) Wohl dem Menschen, der seine spirituellen Grundbedürfnisse spürt und einen „Arzt" findet, der ihm hilft, diesen Hunger zu stillen. Die meisten versuchen es mit der Religion, und vielen gelingt auch ein Weg in die spirituelle Tiefe. Aber manche sind unbefriedigt von der herkömmlichen Religion. Sie meinen unter Umständen sogar, dass Religion ein Hindernis war für ihre

---

[38] Sinn des Lebens, S. 32

spirituelle Entfaltung. Sie suchen daher einen Weg ohne den „unnötigen" Ballast von Religion. Religion muss nicht so sein. (...) Unzufriedenheit und Leidensdruck sind gleichsam der Brennstoff für die Energie des Suchens. Es ist ein Suchen, das uns über unsere psycho-physische Existenz hinaus- führen soll. Wir wollen erfahren, wer wir wirklich sind, wir wollen den letzten Sinn des Lebens wissen. Es ist eine „göttliche Unruhe" in uns, die uns weitertreibt.[39]

Willigis geht aber noch einen Schritt weiter. Er verbindet nicht nur Unzufriedenheit mit einem Mangel an Sinn. Sondern auch mit Krankheit.

Mangel an Sinn macht krank.

Krankheit und Gesundheit sind eine sehr subtile Angelegenheit. Mangel an Sinn macht krank. Der Mensch sucht im Allgemeinen mehr nach Glück als nach Heil. Was der Mensch unter Glück versteht und was er unter Heil versteht, ist nicht dasselbe. Glück und Heil gehören zwar irgendwie zusammen, aber wenn wir zu diesen Worten Assoziationen suchen, kommen wir auf ganz verschiedene Begriffsinhalte. Die Menschen meinen etwas ganz Verschiedenes, wenn sie diese Worte gebrauchen. Glück hängt zusammen mit angenehmen Erlebnissen. Dazu gehören Essen, Wohnen, die Erfüllung der leiblichen Bedürfnisse, aber auch Angenommen sein, Zuwendung, Status haben, Geborgenheit. Nicht zum Glück gehören Angst, Leid, Konflikte, Einsamkeit, Tod.

Heil dagegen meint etwas ganz Anderes. Wenn wir von Heil sprechen, denken wir nicht einfach an ein glückliches Leben. Heil meint viel mehr, eine endgültige Antwort auf den Sinn des Lebens gefunden zu haben. Die Heilswege sind zwar ganz verschieden, haben aber alle eines gemeinsam. Sie führen durch Konfrontation, durch Not, durch Angst, durch Sterben

---

[39] Sehnsucht, S. 40f

und Tod. So können sich Heil und Glück in unserem Leben widersprechen. Der Weg zum Heil ist keine breite Straße. Er führt oft durch eine enge
Pforte, über einen steilen Weg, er führt durch die Tiefe des Unbewussten,
dort werden wir konfrontiert mit Menschen, mit der Welt, mit dem Bösen,
mit Tod und Gott.[40]

Ein Vorletztes: Sinn und Liebe gehören zusammen.

Ohne Liebe macht das Leben keinen Sinn.
Wer nicht lieben kann, kann sich nicht öffnen und in Austausch mit
anderen treten. Er kann dann auch nicht überleben, denn Leben bedarf der
Gemeinschaft, der Geborgenheit, des Rückhalts. Wer in seinem Egozentrismus gefangen ist, dem droht das Schicksal der griechischen Sagen-
gestalt des Narzisses, der immer nur sich selbst im spiegelnden Wasser
anschauen konnte und schließlich ertrank.

Die Erfahrung von Gemeinschaft ist der nächste Schritt in unserer menschlichen Entwicklung. Wir sind keine Einzelwesen, so wenig wie eine Welle
ein Einzelwesen im Ozean ist. Zen verweist in den Koans immer wieder auf
diese Tatsache.
(...)
Liebe ist nicht Geben und nicht Nehmen. Sie ist einfach da. Sie gehorcht
nicht einem Befehl. Sie ist frei und lasst frei. Sie steigt aus der Rolle aus, aus
dem Programm und aus dem Gebot. Sie kennt keinen Stolz und ist immer
wieder bereit zum Neubeginn. Sie zertrümmert alles Harte und weckt alles
Feine und Reine in uns. Sie säubert unsere Gedanken und bringt Klarheit
in die Verwirrung. Ohne sie macht das Leben keinen Sinn, und wir finden
unsere eigentliche Berufung nicht.[41]

---

[40] Das Leben endet nie, S. 36f
[41] Geheimnis jenseits aller Wege, S.60f

Schließlich noch eine letzte Aussage zum Sinn. Wir sind erst auf dem Weg.

Das Leben ist uns gegeben zum Werden und Reifen.
Der Mystiker will gar nicht in erster Linie die Welt ändern. Vielmehr ändert sich durch seine Erfahrung seine Einstellung zur Welt und zu den Dingen. Die Projektionen, denen der Durchschnittsmensch ständig verfällt, verschwinden. Welt und Dinge werden erfahren als das, was sie wirklich sind. Es geht also nie um Vernichtung oder Abtötung. Was vernichtet wird, ist das „Scheinsein" der Dinge, die von der Egozentrik des Menschen falsch eingeschätzt und bewertet werden.

Wenn „Konrad und Heinrich", wie Eckhart den Durchschnittsmenschen nennt, zum wesentlichen Sein wiedergeboren sind, dann feiern auch die Dinge dieser Welt ihre Auferstehung zum wesentlichen Sein. Der Mensch erfährt die Immanenz Gottes in der Welt und der Welt in Gott. Das gegenseitige Durchdrungen-Sein leuchtet auf. Von daher bekommt die Spanne zwischen Geburt und Tod ihre tiefe Bedeutung. Sie ist uns gegeben zum Werden und Reifen. Wir sind erst auf dem Weg zum vollen Menschentum oder – wenn Menschsein nicht unsere letzte Bestimmung ist – zu dem Wesen, das wir werden sollen.[42]

Soweit zu den drei Lebensfragen: Wer bin ich? Wer ist Gott? Und was ist der Sinn des Lebens? Den drei Fragen, von denen Willigis Jäger sich wie von Himmelssternen über das Meer seines Lebens führen ließ.

Anhand der Antworten, die er auf seiner Überfahrt fand, deutete Willigis sein eigenes Leben. Und auch das Leben der Menschen, die als Schüler*innen zu ihm kamen. In der Begleitung von Menschen

---

[42] Sinn des Lebens, S. 71f

hat Willigis seine Erkenntnisse und Erfahrungen auch so beschrieben und aufgeschrieben, dass aus ihnen eine Landkarte, ein gangbarer Weg wird.

Schauen wir also in einem letzten Kapitel auch, was Willigis auf die ihm so oft gestellte Frage antwortet: Wie kann jede*r diesen ureigenen Weg selbst gehen?

Nun, Willigis wurde nicht müde zu betonen, dass jeder echte spirituelle Weg auf den „Marktplatz" führe. Schauen wir zusammen, was auf dem Weg zum Marktplatz so alles passieren kann. Oder soll.

4.Wie geht der Weg?

Willigis hat viel darübergeschrieben, wie Menschen sich selbst auf den Weg machen können, der für ihn selbst so lebensverändernd war. So viel, dass das hier das längste Kapitel wird und, damit es überschaubar bleibt, seine eigene kleine Gliederung bekommt:

Allgemeines über den spirituellen Weg

Konkretes auf dem spirituellen Weg

Die Dunkelheit, der Schatten und das Böse

Man muss den Weg selbst gehen. Aber nicht alleine.

Wenn der Weg, wie es immer heißt, das Ziel ist.
Was können wir dann über das Ziel wissen?

Allgemeines über den spirituellen Weg

Die gute Nachricht gleich zu Beginn. Der Weg steht allen offen. Selbst all jenen, die keinen Weg gehen.

Jeder Mensch kann unvorbereitet mystische Erfahrung machen. Gibt es so etwas wie ein mystisches Talent, das Menschen dazu befähigt, transpersonale Einheitserfahrungen zu machen, ohne den spirituellen Weg einer Religion gegangen zu sein? Jeder Mensch kann unvorbereitet eine solche Erfahrung machen. Es ist dafür nicht erforderlich, eine besondere spirituelle Praxis auszuüben. Ich denke dabei an Menschen wie Hölderlin, Rilke oder Nietzsche, der am Felsen von Sils Maria offenbar eine „Erleuchtung" hatte. Auch sein „Gott ist tot" ist vermutlich der Ausdruck einer echten mystischen Erfahrung. Aber am Beispiel Nietzsches kann man auch erkennen, welche außerordentlichen Schwierigkeiten solche unvorbereiteten Durchbrüche in die Transpersonalität mit sich bringen können. Denn oft fehlt es den Menschen an einem Koordinatensystem, in dem sie ihre Erfahrungen verorten können. Oder sie lehnen eine religiöse Deutung aus ideologischen Gründen ab. Für Nietzsche war es ganz undenkbar, seine Seinserfahrungen in einem christlichen oder überhaupt religiösen Kontext zu deuten. So blieb er ein auf halbem Wege stecken gebliebener Mystiker, der zwar in den transpersonalen Bereich vorgedrungen ist, dann aber die Orientierung verloren hat.[43]

Gleich noch eine gute Nachricht. Nicht nur steht der Weg allen Menschen offen und brauchen wir kein besonderes Talent. Anders, als wenn wir Ballett oder ein Instrument meisterhaft beherrschen wollen, müssen wir auch nicht früh in der Jugend anfangen. Ganz im Gegenteil.

---

[43] Die Welle ist das Meer, S. 52f

Für den Weg ist es nie zu spät.

Wenn wir erst einmal die neuen Möglichkeiten entdecken, die nur das reife Alter zu geben vermag, dann wird diese Zeit kein passives Dahindämmern, sondern die Erfüllung unserer menschlichen Existenz. Gerade dann, wenn dem Menschen die Initiative des Handelns aus der Hand genommen wird, ereignet sich oft das Eigentliche im Leben. Er kann dann nur noch sagen: „Dein Wille geschehe", und das gibt dem Meißel Gottes freie Hand, um uns die letzte Formung zu geben. Gott macht uns in dieser Zeit noch einmal ein Angebot, mit ihm in eine tiefe Gemeinschaft einzutreten. Einfach nur da sein. Ängste, Gedanken und alles, was uns treibt, loslassen. Da sein in Wohlwollen und Liebe für unsere Umgebung. Die Effektivität unseres Lebens liegt nicht mehr so sehr in der Leistung, sondern mehr in der wohlwollenden Präsenz. Wohlwollen und Liebe strömen lassen, das ist dann unsere eigentliche Aufgabe.

Wir müssen nichts vorweisen, wenn wir sterben. Das göttliche Leben in uns ist der Adel, auf den wir bauen können.

Jeder wird eines Tages schmerzlich erfahren, dass er nicht mehr gehen kann, wohin er will. Wir leben in einer Kultur, in der „Jungsein" verherrlicht wird. Jeder fühlt sich verpflichtet, jung zu bleiben. Dem Alter wird wenig Verständnis und Unterstützung entgegengebracht. Doch wer ewig jung bleiben will, verweigert die Reife. Das gilt auch dann noch, wenn die Körperkräfte nachlassen, wenn Hören und Sehen eingeschränkt werden. Gerade dann stellt sich die Frage nach dem Sinn des Lebens in entscheidender Weise neu. Das Durchleben von Krankheit kann zu einer neuen Begegnung mit sich selbst führen und zu einem ganz neuen Offensein für Gott und die Mitmenschen. Reifen durch Leid, ist das möglich? Die eigentliche Reife des Menschen beginnt tatsächlich dann, wenn er sich nur noch in das fügen kann, was ihm beschieden ist.[44]

[44] Weisheit, S. 19f

Achtsamkeit ist heute ein inflationär gebrauchtes Wort, oft wird es völlig losgelöst von einem spirituellen Weg genutzt. Für Willigis Jäger ist klar: Wer den Weg gehen will, braucht Achtsamkeit. Um mit Achtsamkeit noch einmal bei null anzufangen.

Die schwerste und die wichtigste Übung auf dem Weg ist Achtsamkeit.

Achtsamkeit ist wohl die schwerste, aber auch wichtigste spirituelle Übung. Sie ist eine ständige Unterbrechung der Ich-Zentrierung; denn der achtsame Mensch fließt nicht mehr mit dem Strom der Gewohnheit und lässt seinem Bewusstsein nicht den willkürlichen Lauf, der ein Vordringen in die Tiefe verhindern würde. Erwachen geschieht im Augenblick. Es ist nicht ein von der Welt abgehobener Zustand, sondern die Erfahrung der Welt in diesem Augenblick.

Gott ist in allem, und jede Handlung kann, so sie denn in Achtsamkeit und Bewusstheit ausgeführt ist, eine spirituelle Übung sein. Und dies gilt für die einfachen und alltäglichen Verrichtungen des Lebens. (...) Im Grunde tun wir auf unseren spirituellen Wegen gar nichts Außergewöhnliches. Wir versuchen lediglich, in den Augenblick zu kommen und eins zu werden mit dem, was wir gerade ausführen. Genau dort ist uns Gott am nächsten. Auch die kleinste Handlung, die wir vollziehen – die Treppe hinaufsteigen, die Türe öffnen, die Hände waschen, an der roten Ampel warten – kann so zu einer spirituellen Übung werden. Wenn wir zur Arbeit gehen oder zum Bahnhof fahren, sind wir meist gehetzt und verlieren uns selbst. Wir sind nicht mehr im Augenblick – und wenn wir nicht mehr im Augenblick sind, sind wir nicht mehr im Leben und nicht mehr in Gott. Leben ist nur im Augenblick. So gibt es viele Gelegenheiten, bei denen wir uns ins wirkliche Leben einüben können. Jederzeit können wir lernen, ganz da zu sein, ganz bei dem zu sein, was wir gerade tun. Das können wir aber nur, wenn wir aufhören, alles gleichzeitig zu tun. Man kann nicht im Hier und Jetzt sein, wenn man meint, gleichzeitig Musik hören und lesen zu müssen. Oder noch banaler formuliert: Man sollte nicht mit der Zeitung auf die Toilette gehen. Wir sollten noch einmal bei null anfangen und lernen, wie man isst, Salat putzt, zur Arbeit geht, Feierabend macht.

Was es bedeutet, seinen Körper zu trainieren, wissen wir alle. Wer seinen Körper trainiert, eignet sich eine bestimmte Geschicklichkeit an, die ihm auch weiterhin zur Verfügung steht. Jedes körperliche Training ist darüber hinaus aber immer auch ein geistiges Training. Indem wir unseren Körper bilden und üben, prägen wir Muster aus, die sich auch auf unser geistiges Befinden auswirken. (...) Auch unsere Weitsicht und unsere Religiosität werden entscheidend dadurch geprägt, wie wir uns als körperliche Wesen verstehen. Körperliche Achtsamkeit spielt daher in allen spirituellen Wegen eine wichtige Rolle. Und indem sie die Achtsamkeit in das Zentrum des religiösen Lebens rückt, führt sie aus aller kultischen Entrücktheit der Hochreligion zurück mitten ins alltägliche Leben.[45]

Auch wenn auf dem Weg Vieles möglich ist, was so in anderen Kontexten unmöglich wäre, bremst Willigis Jäger im Gespräch mit Christoph Quarch die Euphorie. Es bleibe wichtig, genau hinzuschauen, sich nicht von überhöhten Hoffnungen und Erwartungen leiten zu lassen. Zwei Warnungen gibt er uns mit auf den Weg. Die erste:

Mystiker*innen sind nicht die besseren Menschen.

Aber das ist doch ein Umstand, der viele Menschen irritiert. Es scheint jedenfalls nicht abwegig zu sein, wenn von Mystikern oder spirituellen Meistern ein besonders hohes Maß an moralischer Integrität erwartet wird. Entsprechend ratlos haben viele Freunde und Anhänger des Zen-Buddhismus reagiert, als bekannt wurde, dass sich bedeutende Meister während des Zweiten Weltkriegs ganz und gar der japanischen Kriegsideologie verschrieben haben. Da fragt man sich, wie so etwas möglich sein konnte.

---

[45] Weisheit, S.13f

Ja, das habe ich mich auch gefragt, zumal es sich mit Yasutani Roshi und Harada Roshi um Lehrer aus der Zen-Schule, der ich angehöre, handelt. Die einzige Erklärung, die ich für das Verhalten dieser Männer habe, ist, dass sie von Kindheit an in der Tradition des japanischen Kaiserkultes erzogen wurden. Sie sind davon in einem so hohen Maße konditioniert worden, dass es ihnen später kaum mehr möglich war, sich von den entsprechenden Vorstellungen zu befreien. So haben sie einen unnachgiebigen Imperialismus vertreten und ein in unseren Augen brutales „Ja" zum Töten des Feindes ausgesprochen. Sie konnten das im Übrigen gut mit den Lehren des Zen zusammenbringen; denn wenn alles nur Ausformung desselben kosmischen Lebens ist, dann schlägt der Tod eines Einzelnen in diesem universalen Prozess der göttlichen Evolution kaum zu Buche. Die Evolution geht über Hekatomben von Leichen. Das ist ihr Strukturprinzip.

Man kann doch aber nicht mit dem Hinweis auf die Grausamkeit der Evolution den Tod von Hunderttausenden rechtfertigen. In meinen Ohren klingt eine solche Argumentation zynisch.

Da haben Sie mich gründlich missverstanden. Ich wollte ja weder das Verhalten von Yasutani Roshi und Harada Roshi rechtfertigen noch das Denken, das zu ihrem Verhalten geführt haben könnte. Um es deutlich zu sagen: Ich halte es für völlig abwegig, aus einem Strukturprinzip der Evolution eine gesellschaftliche Ideologie abzuleiten. Einem Mystiker jedenfalls stünde dies schlecht zu Gesicht. Er muss – so er denn ein echter Mystiker ist – für das genaue Gegenteil eintreten: für den Frieden. Das wäre die logische Konsequenz aus der Erfahrung der Einheit mit allen Lebewesen. Wo sie nicht gezogen wird, hat entweder keine echte Erfahrung stattgefunden – oder sie ist im Laufe von Jahren verblasst und durch Kindheitskonditionierungen überdeckt worden.

Kurz: Jemand, der eine mystische Erfahrung gemacht hat, ist deshalb noch nicht ein besserer Mensch.

Es kommt auf die Tiefe seiner Erfahrung an und auf die Frage: Was ist besser, was ist schlechter? Es ist sehr schwer, globale Normen für die gesamte Menschheit aufzustellen.[46]

Zielt die erste Warnung von Willigis Jäger auf unseren Blick auf andere, darauf, dass wir andere nicht überhöhen, geht es ihm in der zweiten Warnung darum, dass wir uns nicht erhöhen. Dass wir realistisch bleiben mit dem, was jede*r von uns tun kann. Und was niemand von uns tun kann.

N**iemand kann sich selbst erlösen.**
Der Weg zur Erleuchtung hat nichts mit Selbsterlösung zu tun. Spätestens wenn ein Mensch in diese Phase eintritt, erfährt er, dass es ein anderer ist, der ihn reinigt. Es kommt zu einem Sterben, das furchtbarer sein kann als der eigentliche Tod. Es geht um die Befreiung von jeglicher Ich-Verhaftung. Aber das Ego sträubt sich bis zum Letzten. Der Mensch hängt im wahrsten Sinne des Wortes zwischen Himmel und Erde. Er ist verwirrt. Die Freuden des Alltags geben ihm keine Befriedigung mehr. Die Freude der Erleuchtungserfahrung ist ihm versagt. Das Unendliche lockt; er kann nicht mehr zurück; er hat gleichsam ein Stück Geschöpflichkeit aufgegeben, fühlt sich aber von Gott noch nicht ganz gehalten. Das ist die Gottverlassenheit, von der viele Heilige sprechen. Alles, was der Mensch jetzt tun kann, ist stillhalten, sich in der Kontemplation dem Schauen ins nackte Sein, der reinigenden Kraft aussetzen. Die Erleuchtungserfahrung ist im Grunde ein Läuterungsprozess, der in die tiefsten Bewusstseinsschichten hineinreicht. Anfänglich sind die Erleuchtungserfahrungen noch begleitet von sinnlichen Störungen, von Gefühlen, Eingebungen und Visionen. Erst wenn all diese Begleiterscheinungen wegfallen, ist der Reinigungsprozess abgeschlossen.

Ich bin eine Figur des unendlichen Spielers auf diesem Schachbrett Evolution. Dieser Spieler spielt sich selbst als diese Figur. Ich bin der/die

---

[46] Die Welle ist das Meer, S. 140f

Gespielte. Mich selbst auch als Spieler zu begreifen, das ist das Ziel aller Mystik.[47]

Aus seinen Erfahrungen vom spirituellen Weg ist es Willigis Jäger wichtig, uns auf zwei verbreitete Missverständnisse aufmerksam zu machen. Erstens: Nur um etwas zu wissen – das reicht nicht.

W**issen reicht nicht. Nur Erfahrung bringt uns wirklich weiter.** Es ist nicht genug, dass wir um die einfachen Dinge des Lebens wissen. Wir haben zu lernen, das Wesentliche dahinter zu erfahren. Wenn wir unsere absondernde Ichheit überwinden, gelangen wir in eine Seins-ebene, die uns unsere Identität mit dem All begreifen lässt. Erfüllen wir unsere körperlichen Grundbedürfnisse nicht, dann erkranken wir. Wir erkranken aber auch, wenn wir unsere spirituellen Grundbedürfnisse nicht leben. Doch leider spüren die meisten Menschen diese spirituellen Grund-bedürfnisse nicht.

Eine mystische Erfahrung ist nicht eine Vermehrung unseres kogni-tiven Begreifens; sie ist eine ganz neue Dimension, die sich empirisch nicht begreifen lässt. „Unio Mystica" ist der Ausdruck für das Eintauchen in das kosmische, transmentale und transpersonale Eine. Dort ist man nicht glücklich und nicht unglücklich, nicht zufrieden oder unzufrieden, nicht froh und nicht traurig. Auf der kosmischen Bewusstseinsebene gibt es keine Seligkeit, kein Glück im Sinne eines Gefühls, denn Gefühle sind Gefühle des Ich. Es gibt dort eine Seinserfahrung, die das Rationale und Personale übersteigt.[48]

Das zweite Missverständnis betrifft die Hoffnung, dass Aussteigen eine Lösung sein könnte. Aussteigen aus dem „falschen" Leben, dem Hamsterrad, dem Kapitalismus und der bösen Gesellschaft?

[47] Weisheit, S. 51f
[48] Geheimnis jenseits aller Wege, S. 41f

Ein verlockender Gedanke. Der in keiner Weise ausreiche, sagt Willigis Jäger.

Man kann nur aussteigen, wenn man auch einsteigt.
Man kann nur aussteigen, wenn man auch einsteigt. Einsteigen meint hier so etwas wie eine Initiation in eine absolute religiöse Haltung. Denn es gibt kein Außerhalb von Religion. Es gibt nicht Religion im Gottesdienst und getrennt davon Religion im Leben. Religion ist unser Leben, und unser Leben, so wie es verläuft, ist die wahre Religion. (...) Es existiert nichts Unreligiöses. Man kann keinen Finger krümmen und keinen Schritt machen, der nicht zutiefst religiös wäre, denn Gott vollzieht sich in allem.

Vielleicht kann ich an einem Beispiel klarmachen, was gemeint ist. Wasser lässt sich ganz verschieden betrachten und benennen. Es kann Regenwasser sein, Quellwasser, Flusswasser, Schlammwasser, Jauche usw. Wer einige Kenntnis in Chemie hat, weiß, dass dies nur äußere Unterschiede sind. Das Wasser ist entweder rein oder verunreinigt. Aus allem verunreinigten Wasser aber lässt sich reines Wasser destillieren. Wer noch mehr davon versteht, der weiß, dass Wasser im Grunde aus zwei Teilen Wasserstoff und einem Teil Sauerstoff besteht. Und selbst das lässt sich im subatomaren Bereich noch weiter zurückführen, bis am Ende nur Energie vorhanden ist. Wer wirklich religiös ist, der erkennt, dass es Religion als abgegrenzten Bereich gar nicht gibt. So wie es letztlich kein Wasser gibt, sondern nur diese eine Urenergie, die wir Gott nennen. Sie offenbart sich in allem und allen.[49]

Willigis Jäger nennt Bedingungen, die Menschen brauchen, wenn sie sich wirklich auf den Weg machen wollen.

---

[49] Sehnsucht, S. 208

Wer den Weg gehen will, braucht Stille.
Unser Leben in Partnerschaft und in Gemeinschaft wird nur fruchtbar, wenn es in ausgewogener Weise zwischen Abgrenzung und Verschmelzung, zwischen Ich und Du, zwischen Stille und Wort, zwischen Einkehr und Hinaustreten, zwischen Arbeit und Ruhe Gestalt annehmen kann.

(...)

Die Propheten Hosea und Arnos fanden ihre Zeitgenossen schon so über-flutet mit Reizen, übersättigt und geschäftig, dass sie baten, Gott möge sein Volk zurückführen in die Wüste. Die Wüste, der Wüstentag, die Einsiedelei ist auch in unseren Tagen wieder Symbol für Selbstbesinnung geworden. Ein Kurs soll ein Stück Wüste sein, eine Zeit der Stille, eine Möglichkeit, sich zurückzuziehen. Ein Raum, um sich selber zu begegnen und das unschätzbare Glück zu erfahren, dass es uns gibt, dass wir sein dürfen. Unser von außen gesteuertes Leben selber in die Hand zu nehmen und von innen her zu leben und auch den schweigenden Gesang der Dinge und des Lebens zu erfahren.

Nur in der Stille wird uns auf die entscheidenden Fragen unseres Lebens Antwort gegeben. Wer bin ich wirklich? Wer ist es, der durch diese Augen schaut? Wer ist es, der durch diese Ohren hört?

Wir laufen Gefahr, von außen gelebt zu werden. Am Ende wissen wir nicht mehr, für was all unsere Sorge, unser Rennen und Schaffen gut sein soll. Nur in der Stille können wir in uns hineinhorchen. Es ist nichts wichtiger, als das Leben selber zu spüren, und das heißt letztlich, Gott zu spüren. [50]

Stille auf dem Weg ist also eine Notwendigkeit. Wobei, was heißt hier Weg? „Den" Weg gibt es nicht, stellt Willigis Jäger klar. Im Gegenteil. Auf dem Weg gibt es viele Wege. In dieser Passage spricht Willigis Jäger über drei verschiedene, sehr unterschiedliche Möglichkeiten, auf dem Weg unterwegs zu sein: den Weg über den

---

[50] Sehnsucht, S. 258

Intellekt, den Weg über die Religion, also das Studium der Schriften, das Befolgen von Kult und Ritualen und schließlich die Kontemplation. Wobei Willigis Jäger hier die Kontemplation und die Rolle des Atems genauer betrachtet.

E s gibt verschiedene Wege des Loslassens, damit das Göttliche in uns aufbrechen kann.

1. Der Weg über den Intellekt. Wir können uns Gedanken machen über Gott und die Welt. Das ist der Ursprung der Philosophie, der Metaphysik und der Theologie. Davon soll hier jedoch nicht die Rede sein.

2. Man kann sich dem Numinosen auf dem Weg der Religion nähern. Das heißt, auf dem Weg des Kultes, des Ritus, der Zeremonie, der Sakramente und meist damit verbunden, durch das Studium der Heiligen Schriften, ihrer Parabeln, Symbole und Mythen. Was verbirgt sich hinter ihnen? Wie weisen sie auf das Wesentliche hin? Die Parabeln, Symbole und Mythen in den Heiligen Büchern sind wie Glasfenster. Sie werden vom Licht, das dahintersteht, angestrahlt.

Das Licht selbst können wir nicht sehen. Wir können es nur in der Reflexion erkennen. Es leuchtet also gleichsam in diesem Glasfenster der Parabel oder des Mythos auf. Das Licht, das selbst keine Struktur hat und nicht fassbar ist, bekommt im Glasfenster Farbe und Struktur. Wichtig ist, dass wir diese Fenster nicht für die letzte Wirklichkeit halten. Sie sind nur ein Aufleuchten dieser Wirklichkeit in dieser bestimmten Form. Wir haben auch noch hinter diese Fenster zu schauen. Wie aber kommen wir ins Licht selbst?

3. Es ist der Weg der Kontemplation oder, wie es in anderen Religionen heißt der Weg des Zen, des Vipassana, der tibetischen Meditationsformen oder der Sufiform. Diese drei angeführten Möglichkeiten, sich dem Numinosen zu nähern, widersprechen sich nicht. Im Gegenteil, sie ergänzen sich. Und wohl dem Menschen, der sich auf allen drei Spuren dem Göttlichen zu

nähern versucht. Hier sei jedoch auf den 3. Weg etwas näher eingegangen, auf den Weg der gegenstandsfreien Kontemplation.

(...)

Am einfachsten nehmen wir dazu den Atem. Wir setzen uns entspannt hin und lassen unseren Atem kommen und gehen. Wir verfolgen unseren Atem mit großer, innerer Aufmerksamkeit, ohne dass wir ihn manipulieren. Im Laufe der Zeit wird er langsamer. Das Ausatmen sollte etwas länger sein als das Einatmen. Nach dem Ausatmen entsteht eine kleine Pause. Wir verlängern sie nicht künstlich, aber wir horchen in diese Pause hinein. In dieser Pause erfahren wir zum ersten Mal die absolute Ruhe unseres Inneren. Wir atmen dann wieder ein und nehmen nun diese Ruhe, die wir in der Pause erfahren haben, mit in das Einatmen und ebenso wieder mit in das Ausatmen. Wiederum sei gesagt, dass es gut ist, den Atem möglichst wenig zu beeinflussen. Das Ausatmen sollte jedoch wichtiger sein als das Einatmen. Wir atmen im Grunde genommen nur ein, um auszuatmen und auf diese kleine Pause zwischen Ausatmen und Einatmen zuzusteuern. Nach einiger Zeit sollte in unserem Bewusstsein nur Atem sein. Wenn uns das gelingt, dann haben wir die zehntausend anderen Möglichkeiten, mit denen sich unser Ich sonst befasst, losgelassen.

(...)

Wir müssen uns täglich hinsetzen – eine halbe Stunde, bis diese Übung eine eigene Dynamik entfaltet. So wie ich Violinspielen nicht an einem Tag lernen kann, sondern Tag für Tag längere Zeit üben muss, bis „Es" wirklich „spielt". So muss ich auch diese Atemübung täglich wiederholen, und es dauert eine geraume Zeit, bis ich im Atem loslassen kann, um meine eigene Tiefe zu finden.[51]

Große Hoffnung hat Willigis Jäger in die Naturwissenschaften gesetzt. Anders als in früheren Jahrhunderten, in denen die Menschen sich an Theologen und Philosophen orientierten, werden es die Naturwissenschaftler*innen sein, die uns als Gesellschaft

---

[51] Sehnsucht, S. 41ff

voranbringen. Prophezeit ausgerechnet der Priester Willigis Jäger ausgerechnet dem Philosophen Christoph Quarch.

D ie treibende Kraft im 21. Jahrhundert wird die Naturwissenschaft sein.

Ich meine, dass das 21. Jahrhundert ein Jahrhundert der Metaphysik wird. Die treibenden Kräfte dabei werden aber nicht Philosophen und Theologen sein, sondern die Naturwissenschaftler. Denn sie sind es, die eindeutig auf eine Wirklichkeit verweisen, die wir rational nicht mehr beweisen können – anders gesagt: Sie verweisen auf dasjenige, was alle Religionen bislang mit vollem Recht Gott genannt haben. Wir befinden uns tatsächlich in einer ungeheuren Umbruchsituation. Ich ahne, dass wir am Anfang einer beschleunigten Evolution unserer Spezies stehen, von der sich noch nicht absehen lässt, wohin sie führen wird.

Das heißt: Sie prophezeien einen Fortschritt in der Evolution des Menschen. Was wird diesen Fortschritt auslösen?

In uns schlummern Möglichkeiten, die noch nicht geweckt sind. Bislang wurde unser Potenzial nur so weit aktiviert, wie es für das Überleben der Spezies notwendig war. Wenn sich die Voraussetzungen für das Überleben ändern, ist damit zu rechnen, dass nunmehr neue unbekannte Potenzen geweckt werden, genauso, wie bei manchen Ethnien Fähigkeiten entwickelt sind, die es bei der Mehrheit der Menschen nicht gibt. So berichtet etwa die Ärztin Marlo Morgan, die drei Monate lang mit australischen Ureinwohnern zusammenlebte, dass sie bei ihren Gefährten Begabungen beobachten konnte, die diese für das Überleben der Gemeinschaft brauchten und deshalb auch entwickelt haben, wie etwa die Fähigkeit der Telepathie, der Homöopathie oder die Fähigkeit im Alter, wenn das Leben erfüllt schien, in kürzester Zeit den Geist auszuhauchen. Wir Europäer gleichen Klavierspielern, die immer nur auf einer Oktave herumklimpern. Ein Klavier hat aber sieben Oktaven. So benützen wir nur unsere geistigen und grobsinnlichen Fähigkeiten, während in der Tiefe unseres Bewusstseins

Potenzen schlummern, die Wirklichkeit ganz anders erfassen und deuten können. Diese Potenziale scheinen mir für unser Überleben als Spezies von größter Bedeutung zu sein, wenn sich die Lebensbedingungen auf unserem Globus weiter so rasch und dramatisch entwickeln wie in den vergangenen hundert Jahren, wenn neue Technologien die Erde überschwemmen, wenn wir Menschen klonen und Roboter entstehen lassen, die unsere Arbeitskraft entwerten, wenn die Weltbevölkerung die Zehn-Milliarden-Grenze übersteigt, wenn wir beginnen, eine pränatale Auslese zu betreiben. Es ist nicht logisch, anzunehmen, dass unsere bisherigen geistigen Kapazitäten dazu ausreichen, diese Probleme zu bewältigen. Hier bleibt einzig die Hoffnung auf einen evolutionären Fortschritt im menschlichen Bewusstsein: dass der Spezies die Fähigkeit zuwächst, neue Bewusstseinspotenzen freizusetzen – und dass ihr genügend Zeit dazu bleibt. Unser Bewusstsein hat sich entwickelt. [52]

[52] Die Welle ist das Meer, S. 30f

Konkretes auf dem spirituellen Weg

Neben diesen allgemeinen Aussagen über den spirituellen Weg finden sich in den Texten von Willigis Jäger auch sehr konkrete Aussagen, wie der spirituelle Weg gegangen werden kann. Oder muss. Da geht es um Mitgefühl und Liebe, Nähe und Distanz, Außen und Innen, Meditation und Alltag.

Ganz gleich, wo auf der Welt Menschen den Weg gehen wollen, müssen sie zwei Qualitäten in sich kultivieren. Der Weg geht über Mitgefühl und Liebe, sonst zerstören wir mit unserem Egoismus oder unserer Egozentrik das Ganze.

Auf dem Weg brauchen wir zwei Säulen: Weisheit und Mitgefühl. Zen hat zwei Säulen, die in Wirklichkeit eins sind: Erkenntnis und Mitgefühl. Im Westen sind uns die Worte „Weisheit und Liebe" geläufiger. Es gibt keine wirkliche Liebe ohne diese Erfahrung der Einheit und kein wirkliches Kensho ohne Liebe. Sie können nur zusammen auftreten. Manche wundern sich, weil ich immer wieder auch die Erfahrungen der anderen Religionen zitiere. Diese Erfahrungsebene übersteigt die Konfession und führt in den einen strukturlosen Urgrund, aus dem alles kommt.

Rumi drückt diese Ebene wie folgt aus: „Der Selbstlose (wer sich selbst vergessen hat) ist ein Spiegel geworden: Nichts ist mehr da als das Spiegelbild des Gesichtes eines anderen. Wenn du darauf spuckst, so spuckst du in dein Gesicht; und wenn du den Spiegel schlägst, schlägst du dich selbst; und wenn du ein hässliches Gesicht im Spiegel siehst, bist es du; und wenn du Jesus und Maria siehst, bist es du." Wir werden lebensuntüchtig werden, wenn wir unseren Egozentrismus und unsere Spezialisierung weiter auf die Spitze treiben. Eingebettet ins Ganze ist unser Intellekt eine wichtige Stufe in der Entwicklung der Spezies Mensch. Isoliert ist er nicht mehr als eine sich vermehrende Krebszelle, die den ganzen Organismus ruiniert.[53]

Im folgenden Text wird Willigis Jäger sehr konkret. Er spricht darüber, dass jede mystische Erfahrung im Alltag ende und benennt eine große Zumutung. Er ist überzeugt, dass wir auf dem Weg auch zu jenen Menschen Nähe aushalten müssen, denen wir lieber ausweichen würden.

Wirkliche Liebe hat mit Sympathie und Antipathie nichts zu tun. „Als Jesus vom Berg herabstieg, kam ein Aussätziger. Er fiel vor ihm nieder und sagte: Herr, wenn du willst, kannst du machen, dass ich rein werde. Jesus streckte seine Hand aus, berührte ihn und sagte: Ich will es, werde rein! Im gleichen Augenblick wurde der Aussätzige rein."(Mt 8.1 ff.)

Da ist einer aussätzig, d.h., er ist ausgestoßen, allein, gebrandmarkt. Das ist kein Leben. Leben beginnt durch Beziehung, Zuwendung und nicht zuletzt durch Berührung. Jesus stieg vom Berg herab. Berg ist das Symbol für die Einheit mit Gott, der Berg Tabor z.B., auf dem Jesus seine Einheitserfahrung mit Gott hatte. Zen kennt den Berg Myo, den Berg der Erleuchtung. Da oben darf man aber nicht sitzen bleiben. Jesus stieg vom Berg Tabor herab und erzählte seinen Jüngern vom Leiden, das ihm bevorstand. Jesus steigt in diesem Evangelium vom Berg herab und berührt und heilt den Aussätzigen. Der mystische Weg endet im Alltag. Der Mönch, der in der Zen-Erzählung auf dem Berg Myo, dem Berg der Erleuchtung also, sitzen bleiben will, wird vom Meister geschlagen. Auf den Berg der Erleuchtung steigt man, um wieder hinunterzusteigen zu den Menschen. Und dort sollen wir ihnen Nähe vermitteln, nicht zuletzt die Nähe und Geborgenheit, die von Gott kommt, die im transpersonalen Erlebnis als universale Liebe spürbar wird. Jesus stieg hinab und berührte den Aussätzigen.

[53] Zen im 21 Jahrhundert, S. 23

Er hatte keine Angst vor Ansteckung.

Haben wir den Mut, uns auf andere in unserem Umkreis einzulassen? Können wir Nähe ertragen? Der andere, das andere sind doch auch die Manifestation der Wirklichkeit, die wir „Gott" nennen. Der Typ, mit dem wir gerade zu tun haben, mag unsympathisch sein auf der vordergründigen Ebene, aber zutiefst ist er eine Offenbarung Gottes. Wenn Menschen in eine tiefe Erfahrung durchbrechen, dann höre ich sehr oft die Aussage: „Ich könnte alle umarmen." Und manche fügen hinzu: „Sogar diesen oder jenen Typ, der mir so unsympathisch ist." Da geht dem Menschen auf, dass wirkliche Liebe mit Sympathie und Antipathie nichts zu tun hat. Es ist die Liebe der Sonne, die nicht sagt: „Den mag ich, dem scheine ich; den mag ich nicht, dem scheine ich nicht."[54]

Um die konkreten Dinge, die auf dem Weg wichtig sind, deutlich zu machen, bedient sich Willigis Jäger hier des Bildes vom Fischernetz, dem der Kosmos gleiche.

Jede Masche ist wichtig. Aber allein macht sie keinen Sinn.
Dieser Kosmos gleicht einem Fischernetz. Die einzelne Masche ist sehr wichtig, aber allein macht sie keinen Sinn und kann nicht bestehen. Allein gehen wir zugrunde. Viele Naturwissenschaftler erkennen inzwischen, dass unser Wissen sehr menschlich und systemintern ist und der Wirklichkeit nicht entspricht. Zen und Mystik lassen uns begreifen, dass unser Verstand vom Leben nicht mehr erkennen kann als einen Blick durch ein Schilfrohr in den Himmel. Wir leben ein sehr begrenztes menschliches Leben, das viele allerdings für zeitlos halten.[55]

Sehr konkret wird Willigis Jäger auch, wenn es darum geht, in welcher Richtung wir unterwegs sein sollen, wohin wir blicken,

[54] Anders von Gott reden, S. 21
[55] Geheimnis jenseits aller Wege, S. 62f

was wir bei unserer Suche in den Fokus nehmen sollen. Anders als wir oft meinen, liegt die Lösung nicht im Außen, nicht darin, in die Welt, auf die anderen zu schauen. Wer auf dem Weg beim Suchen fündig werden will, muss innen suchen.

I**m Außen scheinen wir nicht ans Ziel zu kommen.**
Suchen wir in der falschen Richtung? Wir Menschen sind dabei, den gewaltigen Raum des Universums mit immer besserer Technik zu erforschen. Unser Wissen über Makro- und Mikrokosmos, über die Gene, das Gehirn, die verschiedenen Dimensionen unserer Psyche ist enorm gewachsen, doch es scheint, als erwüchsen daraus auch immer neue Fragen. Man nimmt an, dass sich in den nächsten zehn Jahren das Wissen der Menschheit noch einmal verdoppeln wird, und es werden sich daraus Fragen ergeben, die wir heute noch nicht einmal denken können.

Doch wir suchen immer nur in einer Richtung – im Außen. Vielleicht ist aber das, was wir eigentlich suchen, nur in unserem Inneren zu finden. Vielleicht projizieren wir unser Verlangen nach einer endgültigen Wahrheit über die letzten Bausteine der Materie, nach der einen Weltformel, die alles in einer zusammenhängenden Theorie erklären kann, nach außen, während wir die Wahrheit tatsächlich nur in uns selbst finden können. Im Außen scheinen wir nicht zum Ziel zu kommen. Denn mit jedem neuen Wissen wächst die Erkenntnis, dass wir immer weniger wissen. 2004 nahm Stephen Hawking, das britische Physikgenie, von seiner Überzeugung Abstand, es könne die komplette Formel der Naturgesetze gefunden und eines Tages die Frage beantwortet werden, warum es überhaupt ein Universum gibt. Dies sei nicht möglich, so Hawking, „denn dann würden wir Gottes Geist kennen".

Vielleicht ist auch die Unendlichkeit des Raums und des Universums nur im Inneren zu erfahren, dort, wo die beiden Aspekte der Wirklichkeit als Eins erfahren werden. Zeit und Bewegung gehören zusammen. Vielleicht liegt die Lösung in der Zeitlosigkeit, in der es keine Bewegung mehr gibt außer dem jeweiligen Augenblick. Die ungeheure Spannweite zwischen dem Universellen und Individuellen, der Zeit und der Zeitlosigkeit kann, so glaube ich, nur in uns selbst überbrückt werden. Dort scheinen mir die wirklichen Lösungen zu liegen. Wer sind wir also?[56]

Sich in die Stille zurückziehen, Kurse besuchen, regelmäßig Zeit auf dem Kissen zu verbringen, sind ganz wesentliche Elemente für Menschen, die einen spirituellen Weg gehen wollen. Und doch ist das alles nur Mittel zum Zweck. Denn, wer den Weg geht und auf dem Kissen übt, trainiere in Wirklichkeit für seinen Alltag.

Das leise Mysterium und der berühmte laute Hauptbahnhof. Meinen Schülern und Schülerinnen pflege ich nach einem Kurs zu sagen: „Diese Tage waren ein Training für den Alltag. Ihr habt für das Leben geübt. Jeder Schritt, den ihr tut, ist die Fortsetzung des Kurses. Gehen ist Gebet – und zwar als Gehen, es kann als Ausdrucksform der göttlichen Wirklichkeit erfahren werden." Stehen kann ein Gebet sein, jedes Warten an der Bushaltestelle. In diesem Zusammenhang erzähle ich gerne eine jüdische Geschichte: Die Schüler fragten den Rabbi, was das Geheimnis seiner Weisheit sei. Darauf antwortete er ihnen: „Wenn ich sitze, sitze ich; wenn ich stehe, stehe ich; wenn ich gehe, gehe ich." Die Schüler sahen sich betreten an und meinten, sie hätten nicht recht verstanden. Also fragten sie ihn erneut: „Meister, was ist das Geheimnis deiner Weisheit?" Er aber sagte: „Wenn ich sitze, sitze ich; wenn ich stehe, stehe ich; wenn ich gehe, gehe ich." Da wurden die Schüler ungehalten und erwiderten: „Meister, was du sagst, das tun wir auch, aber wir sind weit entfernt von deiner Weisheit." Da schüttelte der Rabbi lächelnd den Kopf. „Nein", sagte er, „wenn ihr sitzt, seid ihr schon aufgestanden; wenn ihr steht, seid ihr schon losgegangen; wenn ihr geht, seid ihr schon angekommen."

[56]   Integrale Spiritualität, S. 29f

Damit haben Sie nun aber ein Problem angesprochen: Die Anekdote scheint anzudeuten, dass man ein weiser Rabbi sein muss, um das Mysterium auf dem Hauptbahnhof zu finden.

Die Durchdringung von Alltag und Spiritualität setzt die Erfahrung voraus, dass es nichts gibt, was nicht eine Ausdrucksform des Göttlichen wäre. Dementsprechend ist der Vollzug des Lebens der wirkliche Inhalt der Religiosität – und alle Gebete und Riten sind etwas, was wir dem hinzufügen, mit dem wir diese Wahrheit feiern. Wichtig ist es, den Vollzug des Lebens als die eigentlich religiöse Aufgabe zu erkennen. Dazu muss man nicht unbedingt ein weiser Rabbi sein; man muss nur die Bereitschaft haben, sich auf einen spirituellen Weg einzulassen.[57]

Mit einer Anekdote aus seiner Kindheit illustriert Willigis das Bild vom Training und vom Alltag. Als Schüler hat der zeitlebens sportliche Willigis Jäger eine Erfahrung gemacht, die ihn bei einem, buchstäblichen, Training ereilt. Und doch das ganze Universum miteinschließt.

Die Kapelle und der Fußballplatz.

Während der ersten Klosterjahre wurde mir ein tiefes Erlebnis geschenkt: Ich liebte die kleine Abtskapelle. Dort konnte ich in Ruhe verweilen. Sie war tagsüber so gut wie leer. Einmal trat ich ein und wurde sofort in einen höheren Bewusstseinszustand gehoben. Es war das erfüllende und beglückende Erlebnis einer Wirklichkeit, die alles Rationale und Personale zurückließ und mich doch auch das ganz normale Hier und Jetzt erleben ließ.

Plötzlich fiel mir wieder ein, dass ich eigentlich auf dem Weg zum Fußballplatz war und die Kapelle nur aufgesucht hatte, weil ich noch ein paar

57   Die Welle ist das Meer, S.28f

Minuten Zeit hatte. Meine Mannschaft wartete schon auf mich, denn ich war ein guter Fußballspieler. Während des Spieles stand ich noch vollkommen unter dem Eindruck dieser Erfahrung in der Kapelle. An diesem Tag spielte ich Fußball und erlebte gleichzeitig eine Ebene, die auf der einen Seite das Allernormalste war, das Hier und Jetzt, das ich schon öfter erfahren durfte. Der Augenblick war andererseits das Eigentliche meines Lebens. Alle religiösen Vorstellungen waren unwichtig geworden. Da gab es keinen Gott mehr, keinen Himmel und keine Hölle – nur diesen Augenblick, und der war viel mehr, als mein Verstand mir sagen konnte.[58]

Es gibt viele Stellen, in denen es um ganz konkrete Dinge auf dem spirituellen Weg geht. Immer wieder neu, immer wieder anders versucht Willigis Jäger uns für den entscheidenden Perspektivwechsel zu gewinnen und unseren Blick nach innen zu lenken. Darauf, dass wir das, was wir suchen, nur jetzt und hier finden können. Und darauf, wo wir die Erfüllung unserer Sehnsucht nur finden können: in uns.

Wir selbst sind das Du, von dem wir alles erwarten.
Der Mensch wünscht sich einen Himmel, in dem es kein schlechtes Wetter, keine Zahnschmerzen, keine Erdbeben, Überschwemmungen, Kriege, Feindschaften und Probleme gibt. Aber es gibt nichts außerhalb dieses Urprinzips. Es ist alles eingeschlossen, was sich da in uns und um uns vollzieht, auch Leid, Krieg und Tod. Es gibt nichts außer diesem göttlichen Tanz. „Religiös sein" heißt, mitzutanzen und sich als Tänzer oder Tänzerin und als Tanz zu erfahren. Es fehlt uns leider die Leichtigkeit des Lebens: die Leichtigkeit des Tanzes, die Leichtigkeit des Kommens und Gehens, des Geborenwerdens und Sterbens. Wir sind schlechte Tänzer. Wir möchten immer den Schritt machen, der nicht dran ist. Und dadurch verhaspeln wir uns, treten uns und anderen auf die Zehen. Die Erfüllung

[50] Geheimnis jenseits aller Wege, S. 27

unserer Sehnsucht liegt in uns, aber es ist nicht unsere Mitte, sondern die Mitte Gottes, die wir dort finden. Die Menschen suchen den Erlöser draußen. Sie hoffen, dass es Jesus, Shakyamuni, Amida Buddha oder Shiva für sie macht. Unser Ich kann sich Erfüllung nur im Du vorstellen. Dass wir dieses Du, von dem wir alles erwarten, selber sind, lässt sich rational nicht begreifen. Die Erfüllung unserer Sehnsucht liegt in uns. Religion ist unser Leben, so wie es sich vollzieht. Hier und jetzt ist es zu finden. Dieses Ur-Prinzip manifestiert sich im Baum als Baum, im Tier als Tier und im Menschen als Mensch und, wenn es Engel und Teufel gibt, im Engel als Engel und im Teufel als Teufel.[59]

So oder anders macht Willigis Jäger uns immer neu darauf aufmerksam, dass unser vieles Suchen nur Sinn mache, wenn wir den Blick nach innen lenken. Wenn wir aber nur in uns und nur hier und jetzt finden können, was wir so dringlich suchen, dann sind wir ganz und gar selbst verantwortlich. Dann hilft es nichts, die Lösung von anderen Menschen zu erhoffen oder gar zu erwarten.

Es hilft nicht, sich an die Rockzipfel von Jesus oder Buddha zu hängen.

Es ist die Quelle, die es in uns zu finden gilt. Nur aus diesem Grunde sollten wir einen Lehrer oder Meister aufsuchen. Der Mensch ist geneigt, sein Heil von einem anderen, einer anderen zu erwarten. Der wirkliche Meister führt uns an die eigene Quelle. Die Menschen aber vertrauen lieber auf einen anderen. Vielleicht ist da doch noch jemand, der es für mich macht. So verehrt man Buddha und Jesus lieber und hängt sich an ihre Rockzipfel, statt dass man ihrem Weg folgt, um ihre Erfahrung zu machen. Wir finden alles in unserer eigenen Tiefe. Ein spiritueller Lehrer, der dem Schüler nicht den Weg zu sich selbst weist, ist ein Scharlatan.[60]

---

[59]   Das Leben endet nie, S. 76f
[60]   Zen im 21. Jahrhundert, S. 26

Die Dunkelheit, der Schatten und das Böse

Kommen wir nach den allgemeinen und den konkreten Hinweisen zum spirituellen Weg zum dritten und vielleicht den für uns unangenehmsten oder schwierigsten Teil über die Dinge, die für den spirituellen Weg wirklich wichtig sind. Der Weg ist, will er wirklich ein Weg sein, nie nur leicht, warm und hell. Er ist auch schwer, kalt und dunkel.

Der Weg führt über den Abstieg in die Dunkelheit. Sicher kennt ihr das Märchen vom Dümmling, der immer ausgelacht wird und vom Vater in die Welt geschickt wird, um was Rechtes zu lernen. Zurückgekehrt fragt ihn der Vater, was er denn gelernt habe. Er antwortet: „Ich habe gelernt, was die Hunde bellen." Das zweite Mal: „Ich habe gelernt, was die Vögel sprechen." Das dritte Mal: „Ich habe gelernt, was die Frösche quaken." Der rationale Vater weiß mit solcher Kunst nichts anzufangen und verstößt ihn im höchsten Zorn. Auf seiner Wanderschaft kommt der Jüngling in eine Burg. Der Burgherr kann ihm zum Übernachten nur einen Turm zuweisen, in dem wilde Hunde hausen. Die haben schon so manchen verschlungen. Der Jüngling spricht mit den Hunden, und da verraten ihm die Hunde, dass sie nur deswegen so wild sind, weil sie einen Schatz zu bewachen haben. Und sie zeigen ihm den Weg zum Schatz.

Der Weg zum Schatz geht über den Dialog mit den wilden Hunden, über den Dialog also mit allem, was in mir bellt und meine Energie verschlingt. Manche möchten diese Hunde im Zwinger einsperren und sie so loswerden. Sie aber sperren sich dann selber vom Leben aus, denn die wilden Hunde sind die Verletzungen. Wer sich mit ihnen auszusöhnen weiß, kann sich der Kraft dieser bellenden Hunde bedienen. Zunächst haben wir Menschen Angst vor diesen bellenden Hunden, wir haben auch Angst, in diesen

Turm zu gehen. Aber je mehr man die Hunde einsperrt, desto gefährlicher werden sie.

Der Weg zu Gott führt über den Abstieg in die eigene Dunkelheit. Wir müssen in die Tiefe steigen, um eine Quelle für unser Leben zu entdecken, denn dort ist die Kraft der Verwandlung. (...) Und rede mit deinen Verletzungen, diesen wilden Hunden und söhne dich mit ihnen aus! Dann werden sie zum Tor in dein tiefstes Wesen.[61]

Mit dem Bild vom Dümmling, der in die Welt zieht, gibt uns Willigis Jäger zugleich das Bild der wilden Hunde, die der sogenannte Dümmling zähmen muss. Zum Lohn findet dieser einen Schatz. Mit uns ist es nicht anders. Wollen wir den Schatz finden, den auch Willigis Jäger uns wie den Topf am Ende des Regenbogens als Lohn des spirituellen Weges in Aussicht stellt, dann müssen wir in den Zwinger der wilden Hunde steigen. In unseren eigenen Zwinger mit unseren ganz eigenen wilden Hunden.

Wir müssen das Böse ins uns erkennen. Schatten, Teufel, Ungeheuer – wir haben viele Namen für diesen psychischen Komplex, den wir bei allen Menschen finden, sogar bei Jesus. (...) Die Menschen aller Zeiten und Zonen wurden in Schrecken versetzt. Und es scheint, dass uns unser Schatten in diesen Bildern auch noch einmal in der Stunde des Todes begegnet, wenn wir uns in unseren Lebzeiten nicht mit ihm ausgesöhnt haben.
(...)
In den auftauchenden schrecklichen Bildern, Fratzen, Tieren, Dämonen und Ungeheuern begegnen wir unseren eigenen Leidenschaften und Tendenzen. Wir begegnen all dem, was wir an uns nicht akzeptieren können. Es reicht aber nicht aus, dass wir unseren Schatten nicht nur nicht

[61]   Sehnsucht, S. 265f

negieren, wir haben ihn auch zu bejahen. Vom Negieren zum Bejahen ist ein schwerer Schritt. Wir sind zunächst geneigt, den Schatten nach außen zu projizieren: auf das andere Geschlecht, die andere Rasse, die andere Kultur, die andere Religion, auf Juden, Heiden, Nazis, Ausländer. Damit „verteufeln" wir in den anderen, was wir eigentlich als unseren Partner erkennen sollten.

(...)

Wir haben also das fast Unmögliche zu vollbringen und gleichsam um die Ecke zu schauen, um das Böse, das wir außen und am anderen sehen, in uns selber zu erkennen. Denn wenn nichts in uns dem Schatten draußen entsprechen würde, wären wir nicht anfällig für seine destruktive Wirkung. Solange wir uns nicht durchschauen, leugnen wir die Verhaltensweisen, die wir an den anderen kritisieren, in unserer eigenen Psyche.

(...)

Es ist nicht der Schatten selber, der in unserem Unbewussten zerstörerisch sein Unwesen treibt, sondern die Tatsache, dass wir ihn nicht erkennen und daher nicht akzeptieren. Er kann daher im Dunkeln unserer Psyche sein Eigenleben führen. Die Psychologie nennt das die Abspaltung bestimmter Elemente. Sie erscheinen uns dann als nicht zu uns gehörende Teile, als Dämonen, Fratzen, schwarze Hunde oder auch einfach als unförmige Masse, die uns einzuhüllen droht. Wir haben herauszubekommen, was sich hinter dieser Maskerade versteckt. Das ist eine nicht leichte Arbeit, haben wir doch seit unserer Kindheit solche bedrohlichen Elemente unserer Psyche geleugnet.

Je mehr wir uns gegen diese „Dämonen" wehren, umso schlimmer ist es. Wir verdrängen diese Schattenbilder immer wieder aufs Neue und geben ihnen damit nur mehr Gewalt über uns. Wir möchten diese Schattenseiten vor allem auch vor den anderen verstecken, was freilich selten gelingt. Ein guter Freund kann da unser bester Helfer sein. Er hat einen scharfen Blick für unsere Verdrängungen und kann die Mechanismen aufdecken.

Wir selber können am besten auf die Schliche unseres Schattens kommen, wenn wir uns fragen: Was möchte ich vor den anderen verstecken? Uns das einzugestehen, fordert eine Tugend, von der wir heute nicht mehr viel reden: Demut. Unser Selbstbild schrumpft dann zusammen wie ein Schneemann in der Sonne.[62]

Mit dem Finden und dem Zähmen der wilden Hunde in uns ist es aber immer noch nicht getan. Willigis Jäger spricht viel und oft über „das Böse". Auch auf verblüffende Weise, wie im folgenden Text, in dem er das Böse als ein Strukturprinzip der Evolution und damit als Teil Gottes benennt. Was das für unsere tägliche Übung bedeutet?

W ir müssen jeden Tag neu unterscheiden und wählen.
Das Böse scheint mir nichts Anderes zu sein als die Egozentrik des Menschen und die Verweigerung der Selbsttranszendenz. Diese Egozentrik offenbart das Mysterium dessen, was wir böse nennen. Das Böse hat mit Moral zunächst nichts zu tun. Es ist die Verweigerung, sich zum Ganzen hin zu öffnen, die Verweigerung, das Ego zu überschreiten und sich evolutionsgerecht zu verhalten. Wenn wir das Evolutionsgeschehen verfolgen, dann bedeutet Mangel an Selbsttranszendenz – sei er verschuldet oder unverschuldet – die Ursache für den Untergang.

Auch was wir „böse" nennen, gehört zum Strukturprinzip der Evolution und damit zu dieser Urwirklichkeit, die wir Gott nennen. Wenn wir in Kontemplation und Zen tiefer kommen und umfassendere Erfahrungen machen, erkennen wir, dass nichts aus diesem Urprinzip herausfallen kann, auch nicht das Böse. (...) Das Ich, das sich in den Vordergrund spielt, ist nicht unser wahres Ich. Es ist nur das Echo auf unsere wahre Identität, von der alles Leben ausgeht. Diese unsere wahre Identität kann nur von innen erfahren werden. Mit dem Verstand ist das so wenig möglich wie das Küssen der eigenen Lippen. In unserem täglichen Leben müssen wir unterscheiden und wählen, was oft nicht ohne Verletzungen möglich ist.

[62] Sehnsucht, S. 147-150

Unsere Übung sollte darin bestehen, möglichst nicht aggressiv zu handeln, sondern mehr aus einer neutralen Gelassenheit heraus zu agieren. Es ist auch nicht leicht, ja zu sich selber zu sagen, auch zu seinen Schattenseiten. Wir müssen nicht größer, reiner, heiliger, spiritueller werden; wir sollten unser wahres Wesen erfahren, daraus ergibt sich das rechte Handeln.[63]

Diese Sicht trennt also das Böse von Moral und betrachtet es stattdessen als Egozentrik und hat mächtige Folgen für unser ganz konkretes Leben.

Wie wir dem Bösen konkret begegnen sollen.

Das Gesagte ist keine Befürwortung des Bösen. Im Gegenteil. Wer in die Einheit durchbricht, kann dem anderen nur mit Liebe begegnen. Aber ganze Galaxien kommen und gehen mit allem Leben, das sich möglicherweise darauf befindet. Das gesamte evolutionäre Geschehen, auch das, was wir gut oder böse nennen, kann von diesem Urgrund offensichtlich nicht ausgeschlossen werden. Alles ist integrales Element des einen Seins, ein Element des kosmischen Spiels, dem wir den Namen Gott gegeben haben. Erst in unserem ganz konkreten Leben wird es gut oder böse. Aus der Schöpfungsordnung kann es nicht eliminiert werden, denn es gehört dazu. Diese Schöpfungsordnung anzuerkennen, so wie sie sich zeigt, ist eine der schwierigsten Integrationsprozesse, die wir Menschen zu leisten haben. Die absolute Wirklichkeit enthält die ganze Bandbreite der Evolution – und dazu gehört auch das, was wir böse nennen.[64]

Der östliche Blick auf das Böse, den Willigis Jäger im nächsten Text referiert, scheint mir gnädiger auf die Menschen zu schauen. Die Menschen sind nicht einfach gemein und gierig, kriminell und gewissenlos. Im Blick östlicher Weisheit sind die Menschen also

[63] Weisheit, S. 35f
[64] Liebe, S. 99

nicht böse, sondern unwissend. Sie kennen sich selbst zu wenig, verstehen zu wenig die Zusammenhänge von sichtbarer und unsichtbarer Welt, haben zu wenig Einsicht in die Verbundenheit von allem und allen. Dieser Blick auf das Böse verändert auch den Blick auf das, was das Christentum Sünde nennt.

Sünde ist ein Mangel an Erkenntnis.

Was man mit Sünde bezeichnet, ist Mangel an Erkenntnis. Als Dummheit wird es in der östlichen Esoterik oft übersetzt. Solange der Mensch nicht weiß, wer er ist, solange er seinem tiefsten Wesen entfremdet ist, solange wird er das tun, was wir böse nennen.

Sünde ist Entfremdung, Entfremdung von unserem wahren Wesen. Wir sind diesem unserem göttlichen Wesen fremd geworden, darum tun wir vieles, was dem wahren Leben widerspricht. Und widersprechen, dem Leben widerstehen, bringt Leid, während Erlösung geschieht, wenn wir aus der Entfremdung heimkehren und den Widerstand gegen das Leben aufgeben.

Nicht um ein Blutopfer für unsere Sünden darzubringen, ist Jesus ans Kreuz geschlagen worden, sondern weil er sich eingelassen hat auf die Gesetzlosen, die Prostituierten, die blutflüssige Frau, die Zöllner und alle sogenannten Sünder. Er wurde dadurch in den Augen der Pharisäer selbst zum Unreinen. Deshalb wurde er zum Häretiker erklärt, der Gottlosigkeit angeklagt und zum Kreuzestod verurteilt; und nicht, weil ein Gott ein Blutopfer für die Versöhnung verlangt hätte. Der Opfertod hat bei Jesus keinen Rückhalt. Ich weiß, dass solche Gedanken für viele ein Umdenken erfordern, das die christliche Tradition verändern wird. Diese Mahlfeier ist dann nicht mehr Sühneopfer, sondern Feier der Gemeinschaft von Gott und Mensch, von Gott und Schöpfung.

Brot und Wein sind nur die Exponenten der Schöpfung. Brot und Wein stehen für Stein, für Blume, für Baum, für Tier und Mensch und Engel.

Aber sie sind nicht einfach Brot und Wein. In ihnen geschieht die Epiphanie des Göttlichen. In ihnen manifestiert sich Gott. Und er manifestiert sich in allen Wesen. Jesus fordert zur Umkehr auf. Er sagt immer wieder: Kehrt um, kehrt heim zu eurem tiefsten Wesen, zum Vater! Da ist keiner, der euch strafen will, sondern einer, der euer wahres Zuhause ist.[65]

Aber nicht nur das sogenannte Böse macht uns zu schaffen, verdunkelt unsere Welt. Da ist ja auch noch das Leid, von dem niemand von uns verschont bleibt. Für den Umgang mit diesem Leid gibt Willigis Jäger uns sehr Tröstliches mit auf den Weg.

Wenn wir Leid wirklich akzeptieren, hört es auf, Leid zu sein. Das Leben ist schwierig und leidvoll. Auch wir geraten im Leben immer wieder in leidvolle Situationen. Wir können darüber einen Klagegesang anstimmen, oder wir können versuchen, diese leidvollen Situationen zu lösen. Offensichtlich fürchten wir aber die Pein, und deswegen drücken wir uns vor solchen Problemlösungen, denn sie fordern von uns Entscheidungen, die wir nicht gern fällen. Wir hoffen, dass solche Situationen von allein Weggehen. Wir versuchen, sie zu ignorieren, und tun so, als ob es sie nicht gäbe. Wir machen die tollsten Versuche, dem Leid zu entrinnen, wenn wir aber das Leid nicht annehmen, das solche Probleme verursacht, hindern wir uns selbst am Wachstum. Dies ist auch der Grund, weshalb es in der psychischen Krankheit kein Wachstum gibt. Wir müssen einfach lernen, dass wir das Leid nicht umgehen können. Nur wenn wir das Leid annehmen und nach Lösungen suchen, werden wir auch im spirituellen Leben weiterkommen.

Krisen in unserem Leben sind Zeiten des Wachstums. Wir müssen aus dem Mutterschoß heraus, um Mensch zu werden, und das ist leidvoll. Wir werden entwöhnt. Wir müssen in die Schule und Ausbildung. Wir müssen aus dem Elternhaus. Wir haben das Altern anzunehmen. Wir haben

---

[65]   Sehnsucht, S. 155f

Krankheit anzunehmen. Wir haben den Tod anzunehmen.

(...)

Wenn Leid wirklich akzeptiert ist, hört es auf, Leid im üblichen Sinn zu sein. Es wächst mit der Annahme des Leides eine tiefe Freude. Bei manchen leidgeprüften Menschen kommt diese Freude durch, denn sie sind von einer großen Liebe zu ihren Mitmenschen erfüllt. Ein reifer und weiser Mensch kann seine Liebe zu den andern nicht für sich behalten, denn er oder sie akzeptiert die Aufgabe, der Welt und ihren Mitmenschen zu dienen.[66]

Willigis Jäger lässt also keinen Zweifel daran, dass es nicht immer Spaß machen wird, auf dem spirituellen Weg unterwegs zu sein. Die wilden Hunde, die Dunkelheit, der Schatten, das Leid – all das wird uns zwangsläufig begegnen. Willigis Jäger lässt aber auch keinen Zweifel daran, dass niemand uns unsere Verantwortung abnehmen kann, dass es nichts hilft, das Heil von der Meister*in zu erwarten. Aber einen Trost, und keinen kleinen, hält er dann doch für uns bereit.

Man muss den Weg selbst gehen. Aber nicht alleine.
Ein echter spiritueller Meister wird seine Schülerinnen und Schüler darin bestärken, den Weg immer wieder fortzusetzen. Aber er wird ihnen auch sagen, dass sie diese Erfahrung nicht auf Grund eigener Anstrengung machen können – dass sie sich nur bei denen einstellt, die das Ich, das gerne etwas machen und erleben will, loslassen. Er wird sie darauf hinweisen, dass es dahin ein weiter und schwieriger Weg ist, ein Wandlungsprozess, der die Ich-Strukturen unserer Psyche durchsichtig macht, der durch Phasen der Orientierungslosigkeit und Verzweiflung führen kann, der zuletzt aber an einen Punkt führt, an dem der Mensch erkennt, dass er sein Ich getrost zurücklassen kann, um in eine höhere Wirklichkeitsebene einzutreten.

---

[66]   Sehnsucht, S. 159f

Der Mensch ist geneigt, sein Heil von einem anderen zu erwarten. Vielleicht ist da doch noch jemand, der es für mich macht, hofft er. So verehrt man Buddha und Jesus und hängt sich an ihre Rockzipfel, statt ihren Wegen zu folgen, um ihre Erfahrung zu machen. Ein spiritueller Lehrer, der euch nicht den Weg zu euch selber weist, ist ein Scharlatan. Ihr findet alles in eurer eigenen Tiefe.[67]

Wenn wir den Weg selber, aber nicht alleine, sondern angeleitet von einem*r Lehrer*in, gehen, dann ist es wichtig, diese Lehrenden und ihre Rolle in den Blick zu nehmen.

Die Stellung der Lehrenden.

In Asien ist sie bis jetzt mehr oder weniger unangetastet. Der Lehrer wird fast als Heiliger verehrt. Westliche Menschen sind viel kritischer. Die Schüler prüfen und hinterfragen die Lehrer. Die Lehrer stehen auch viel mehr in der Öffentlichkeit als das in Asien der Fall ist. Viele haben einen Beruf neben ihrer Tätigkeit. Sie haben Familie, Eigentum und Probleme, die sich daraus ergeben. Buddha hat selber zur kritischen Beurteilung der Lehrer aufgerufen. Koan 11 im Hekiganroku sagt dies sehr deutlich: Der Meister Obaku lehrte die Versammlung und sagte: „Ihr seid alle Sakesatz-Fresser. Wenn ihr auf diesem Weg immer so weitergeht, wann könnt ihr endlich sagen: ‚Heute habe ich es erfahren?' Wisst ihr eigentlich, dass es in diesem großen Reich Tang keinen Zen-Meister gibt?" Da trat ein Mönch vor und sagte: „Wie steht es aber mit den Leuten, die sich der Schüler annehmen und die Versammlungen leiten?" Obaku sagte: „Ich sage nicht, dass es kein Zen gibt; ich sage nur, dass es keinen Meister gibt."

Das Gesagte heißt nicht, dass ich keinen Begleiter auf dem Weg brauche. Ich hatte viele Exerzitien gehalten, Menschen auf einem spirituellen Weg begleitet und ging doch nach Japan. Tausend Mal war ich bei meinem Meister zum Dokusan. Viele Teishos habe ich gehört. Und ich bin dankbar.

---

[67] Weisheit, S. 90ff

Übertragung bedeutet nicht, dass etwas gegeben wird. Der Lehrer erkennt seinen Geisteszustand im Schüler und gibt ihm den Auftrag zu lehren.[68]

Zum Thema Lehrer*in oder Meister*in, also Begleitung auf dem spirituellen Weg, hat Willigis Jäger sich oft geäußert. Im folgenden Text vergleicht er die Begleitenden mit einem Gärtner oder einer Löwin. Und erläutert nochmal, warum wir eine Begleitung brauchen, wie sie aussehen kann und welche Gefahren lauern.

Gärtner und Löwinnen, aber keine Heiligen auf dem Podest.

Der Begleiter auf dem Weg ist einem Gärtner vergleichbar. Der Gärtner versucht, das Beste aus der individuellen Pflanze zu machen. Er düngt sie, räumt Hindernisse aus dem Weg, bewässert sie, lockert den Boden, sorgt für Licht, damit sich die Individualität dieser Pflanze entwickeln kann. Sie soll zu ihrer von der Natur vorgesehenen Form finden. (...) Die Blume geht nicht zur Biene, sondern umgekehrt. Der Schüler geht zum Meister. Dieser gleicht einem Baum. Wer auch immer kommt, darf von den Früchten pflücken. Im Zen ging der Meister mit seinen wirklichen Schülern nicht gerade sanft um. Das Koan 15 im Mumonkan bringt den Vergleich mit der Löwin. Sie wirft ihre Jungen immer wieder den Hang hinunter und nur wer wieder herauf grabbelt, verdient erzogen zu werden. Die Gefahr der Übertragung und natürlich auch der Gegenübertragung lauert auch im Zen an allen Ecken. Alte Beziehungsmuster rasten ein wie eine Vater-Sohn- oder Mutter-Tochter-Beziehung. Oder die affektiven Bedürfnisse werden auf die spirituelle Ebene verlagert. Für manche ist es zu viel, für andere zu wenig Betreuung. Es kann beides sogar gleichzeitig auftreten. Die Beziehung zum Lehrer verwandelt sich in Anklammern oder zur Abwehr, sie bringt zu viel oder zu wenig Nähe.

Eine andere Gefahr ist die Neigung zur „Verehrung". Der Lehrer wird auf das Podest gestellt, es wird ihm ein Heiligenschein umgelegt, parapsychische

---

[68]   Zen im 21. Jahrhundert, S. 66f

Fähigkeiten werden ihm angedichtet und er wird zum Idol. Alles, was er sagt, wird kritiklos hingenommen. Und es gibt noch eine viel tiefere Ebene: Der Vorsprung auf der spirituellen Ebene, der im Lehrer gewachsen ist durch ein langes und intensives Gehen des Weges, bringt eine Gewissheit über den Weg, auf dem er den Schüler führen möchte. Bei der Begleitung spielt dieses spezielle Hintergrundwissen eine besondere Rolle. Der Schüler soll zu dieser Erfahrungsebene des Meisters Kontakt aufnehmen. Bis beide tatsächlich eines Geistes werden. Sich auf diesen Prozess einzulassen, braucht Vertrauen auf beiden Seiten. Denn ein Meister weckt im anderen, was bereits da ist.[69]

[69]   Zen im 21. Jahrhundert, S. 68ff

Wenn der Weg, wie es immer heißt, das Ziel ist. Was können wir dann über das Ziel wissen?

⁓

Zum Schluss noch mal ein Blick auf die Frage: Und, was soll das Ganze? Warum diese ganze Plackerei mit wilden Hunden? Und Löwinnen, die uns den Berghang hinunterwerfen, nur um herauszufinden, ob wir es auch wirklich verdienen, auf dem spirituellen Weg unterrichtet zu werden. Warum die Anstrengung, sich Tag für Tag aufs Kissen zu setzen und dabei mit all den Zumutungen konfrontiert zu werden, die der Weg beinhaltet: dem Verlust unserer Gewissheiten, den Erschütterungen durch den Verlust tiefer Überzeugungen und unserer Sicht auf die Welt. Warum genießen wir stattdessen nicht unser kleines, kurzes, zerbrechliches Leben? Kurz gefragt also, warum üben wir eigentlich?

Warum üben wir?

Was soll unsere spirituelle Übung eigentlich bewirken? Im Pali-Kanon, der ältesten Schriftensammlung, in der uns die Lehre des Shakyamuni Buddha überliefert ist, bezeichnet das Wort „Bhavana" all jene Übungen, die gemeinhin unter dem Begriff „Meditation" gefasst werden. Bhavana lässt sich am besten übersetzen mit „Entfaltung des wahren Wesens". Genau darum geht es auf dem spirituellen Weg: um die Entfaltung unseres wahren Wesens. Wir begegnen dabei zunächst vielen Hindernissen, Problemen und verwirrenden Phänomenen. In den alten Schriften werden sie als Dämonen bezeichnet. In der heutigen Zeit sprechen wir in diesem Zusammenhang von Emotionen, von Neurosen oder psychischen Blockaden.

Wenn wir uns zur Meditation auf unser Kissen setzen, es still wird und die

Bühne unserer alltäglichen Geschäftigkeiten sich langsam leert, melden sich tatsächlich alle inneren Teufel und übermütigen Engel, um endlich einmal darauf zu tanzen. Wir müssen feststellen, dass wir selbst in der Stille permanente Zwiegespräche führen, unablässig reagieren, bewerten und urteilen, also keineswegs Herr im eigenen Hause sind und keine Kontrolle über unser Ich haben. Es steigen Erinnerungen in uns hoch, alte Verletzungen brechen auf, wir werden von Emotionen überwältigt. (...) Was also ist zu tun? Wie können wir auf dem spirituellen Weg mit starken Emotionen wie Wut, Stolz, Frustration, Ärger, Groll und Eifersucht umgehen? Indem wir uns darin üben, diese Gefühle erst einmal zuzulassen und wahrzunehmen. Wir üben uns darin, zum Zeugen dieser inneren Abläufe zu werden, ohne diese zu bewerten und zu verurteilen. Wir nehmen wahr, was mit uns, um uns und in uns geschieht. Diese Aufmerksamkeit allein ist bereits heilsam, denn wir stellen fest, wie kurzlebig unsere Emotionen sind, dass sie gar nicht in der Form existieren, wie wir meinten, sondern dass sie kommen und gehen. Wir haben so die Möglichkeit, um unsere Emotionen zu wissen, sie zu erfahren, ohne dabei von ihnen dominiert zu werden. Und nicht nur das: Wir lernen, uns so zu akzeptieren, wie wir gerade sind, mit all unseren Emotionen, unseren Ängsten, unseren Schwierigkeiten. Wir gelangen auf diese Weise zu einer ganz neuen Art, mit schwierigen Situationen umzugehen und die darunterliegenden Gefühle klarer wahrzunehmen. (...) Wir erhalten unsere innere Freiheit zurück und sind unseren Emotionen nicht mehr ausgeliefert. Durch die Übung der Achtsamkeit und die Konzentration auf den Atem werden wir durchlässig und lassen unsere Anhaftungen los.[70]

Willigis Jäger stellt konsequent Übenden also neue Freiheiten in Aussicht. Neue Freiheiten im Umgang z.B. mit Emotionen, in der Folge mit Konflikten. Wenn uns die Übung gelingt, stellt Willigis Jäger darüber hinaus in Aussicht, dass wir positiv, hilfreich und konstruktiv auf unsere Umwelt und die Gesellschaft einwirken. Und zwar schon alleine dadurch, dass wir uns verändert haben.

[70]   Liebe, S. 35-38

Unser Verhalten wirkt auf alle.

Darum ist Zen Friedensarbeit, Entwicklungsarbeit für uns und die Menschheit. Das ist ohne jedes elitäre Bewusstsein und ohne jede Arroganz gesagt. Es ist das erste Gelübde, alle Lebewesen zu retten, das aus dieser Erfahrung aufbricht. Das hat nichts mit Bekehrung, Predigen, Überzeugen zu tun, sondern mit dem ganz konkreten Leben. Mein Verhalten wirkt auf alle. Wir gehören zusammen wie die Maschen eines Netzes. Zuerst sind wir Netz und erst in zweiter Linie Masche. Aber wir sind unverzichtbar; ganz gleich an welcher Masche man zieht, das ganze Netz gerät in Bewegung. Es geht immer etwas von uns aus. Wir wirken durch unser Sosein.

Gefangen in Mustern. Unser personales Bewusstsein verschließt uns einen wichtigen Erfahrungsraum. Wir sind konditioniert: Angst, Anhänglichkeit, Aversion, Leiden. Indem wir unseren Körper, unsere Gefühle und unseren Geist durchlässig machen, erwachen wir zu dem, was wirklich ist. Nicht indem wir guten Vorsätzen folgen, verändern wir uns, wie uns das gelehrt wurde, sondern indem wir unsere wahre Identität kennenlernen. „Wer bin ich? Was war mein Gesicht vor meiner Geburt?", fragt Zen. Wir haben das in uns zu entdecken, was Permanenz besitzt, was zeitlos ist. Viele Leute werden von Neid, Eifersucht, Macht, Sex, Reichtum, Vergnügen, Ruhm durch das Leben getrieben. Es ist ein Kreislauf, dem viele bis zu ihrem Tod nicht entrinnen. Sie werden geboren, gehen zur Schule, ergreifen einen Beruf, heiraten, werden alt und sterben. Ist das alles, was ein Menschenleben zu bieten hat? Diese Frage trieb Shakyamuni um, aber nicht nur ihn. Alle Weisen dieser Erde haben das zur Ausgangsfrage ihres Weges gemacht. „Du Tor, diese Nacht noch wird man dein Leben von dir fordern", sagt Jesus zum Reichen, der neue Scheunen bauen ließ, um seinen Reichtum unterzubringen. (Lk 12,20)[71]

Das Jiddische kennt das aus dem Deutschen abgeleitete Wort „mentsh". Ein „mentsh" ist, im Unterschied zu den vielen normalen Leuten auf der Welt, eine Auszeichnung. Ein Titel. Eine Person, die ein

---

[71] Zen im 21. Jahrhundert, S. 31f

Gefühl für Anstand und Würde hat. Ein „mentsh" handelt integer, ist vertrauenswürdig, weiß richtig und falsch zu unterscheiden. An dieses jiddische Wort „mentsh" erinnert mich dieser letzte Text von Willigis Jäger. Mit Bedacht steht dieser Text am Ende dieser Reise durch die zentralen Gedanken und Einsichten von Willigis Jäger. Als Schlusspunkt ein Text, der auf den Punkt bringt, weshalb wir uns auf den Weg machen, was unser Ziel und auch unser Lohn sein kann.

Mehr Mensch werden.

Der kontemplative Weg ist eine Schule, in der man lernen kann, mehr Mensch zu werden und für sein Leben eine weitere Dimension zu gewinnen. Unsere Erziehungszentren sind keine Lebensschulen, auch wenn sie das für sich beanspruchen. Sie sind auf mentale Leistung ausgerichtet, auf Beruf, Karriere, Prüfungen, gute Abschlüsse und nicht auf das Sein. Differenziertes Spezialwissen beansprucht die ganze Kraft. Unser Geist wird in enge Leitplanken gezwängt. Er kann sich kaum frei entwickeln. Der Modus des Habens steht im Vordergrund, nicht der Modus des Seins, wie Erich Fromm kritisch betont hat.

Schulung des Intellektes ist nicht nur schlecht, sie ist angebracht und notwendig. Schlimm ist nur, dass daneben keine ergänzenden Möglichkeiten angeboten werden. Selbst Religion und Philosophie fahren auf dieser Schmalspur der Ausbildung. Zum Doktor der Theologie wird man ernannt, wenn man nachgewiesen hat, dass man viel über Gott weiß und gelesen hat, nicht aber, dass man etwas von ihm erfahren hat. Dr. phil. wird man, wenn man das, was andere gesagt haben, gut Wiederkauen kann. Man bekommt gesagt, was und wie man zu denken hat. Dafür zahlen wir einen hohen Preis. Es führt zu einer Verengung des Lebens auf materielle Werte, zu einem verarmten, ja unglücklichen Lebensstil. Die Folge ist eine steigende Zahl von politischen, sozialen und psychosomatischen Problemen. Weltweit gesehen könnte der Verlust der Spiritualität der Grund der derzeitigen erschütternden globalen Krisen sein, die das Überleben der Spezies Mensch in Frage stellen.

Ich habe von der „anderen" Dimension gesprochen und damit auf fälsch-liche Weise ausgedrückt, dass sie etwas anderes ist als die größte Selbst-verständlichkeit. Es gibt nur eine Dimension. Diese Dimension hat zwei Aspekte, wie die Münze zwei Seiten hat. Doch es ist nur eine Münze. Die Menschen im Westen sind dabei, diese andere Dimension, die Gott genannt wird, das Numinose, das Absolute, diese Wirklichkeit, die sie nährt und die ihnen Kraft gibt, zu vergessen, ja abzulehnen.[72]

Wir brauchen Orte wie den Benediktushof, die wie Trainingslager gute Bedingungen für Übende schaffen. Wir brauchen in der Nach-folge von Willigis Jäger Lehrende, die uns auf den Weg bringen. So, dass wir selbst und in uns entdecken können: Wir sind nicht nur Welle, sondern auch Meer. Wenn wir so gestärkt genug Zuversicht fassen, um den Sternen durch die Stürme unseres Lebensmeeres zu folgen, dann haben unsere Kinder und Kindeskinder die Chance auf eine Welt, in der es sich immer noch lohnt, Mensch zu werden.

[72] Sehnsucht, S. 55f

Bibliographie

Alexander Poraj-Zakiej, Das Willigis-Jahrhundert, West-Östliche Weisheit Willigis Jäger Stiftung 2020

Christoph Quarch (Hrsg.) / Elisabeth Walcher (Hrsg.), Perlen der Weisheit, Die schönsten Texte von Willigis Jäger, Verlag Herder GmbH, Freiburg im Breisgau 2010, bearbeitete Neuausgabe 2012 (*Weisheit*)

Christoph Quarch (Redaktion), JETZT NICHTS SEIN, Ein Inspirationsbuch zum 90. Geburtstag von Willigis Jäger, West-Östliche Weisheit Willigis Jäger Stiftung 2015

Anselm Grün, Willigis Jäger: Das Geheimnis jenseits aller Wege. © Vier-Türme Verlag GmbH, Verlag, Münsterschwarzach, 2013 (*Geheimnis jenseits aller Wege*)

Willigis Jäger, Anders von Gott reden, Verlag Via Nova, Petersberg, 3. Auflage 2013 (*Anders von Gott reden*)

Willigis Jäger, Das Leben endet nie. Über das Ankommen im Jetzt. © Theseus in Kamphausen Media GmbH, Bielefeld 2010 (*Das Leben endet nie*)

Willigis Jäger, Autor, Christoph Quarch (Herausgeber), Die Welle ist das Meer, © 2000 Verlag Herder GmbH, Freiburg i. Br., 25. Auflage 2012 (*Die Welle ist das Meer*)

Willigis Jäger, Kontemplation – ein spiritueller Weg. KREUZ VERLAG in der
Verlag Herder GmbH, Freiburg im Breisgau 2010

Willigis Jäger, Suche nach dem Sinn des Lebens, Bewusstseinswandel durch
den Weg nach innen, Verlag Via Nova, Petersberg 2016, 2. Taschenbuchaus-
gabe 2020 (*Sinn des Lebens*)

Willigis Jäger, Über die Liebe, ©2009, Kösel-Verlag, München in der Penguin
Random House Verlagsgruppe GmbH (*Liebe*)

Willigis Jäger, Westöstliche Weisheit. Visionen einer integralen Spiritualität,
© Theseus in Kamphausen Media GmbH, Bielefeld 2010
(*Integrale Spiritualität*)

Willigis Jäger, Wohin uns unsere Sehnsucht führt. Mystik im 21. Jahrhundert.
Verlag Via Nova, Petersberg, 3. Auflage 2007 (*Sehnsucht*)

Willigis Jäger, Doris Zölls, Alexander Poraj, Zen im 21. Jahrhundert,
© J. Kamphausen in Kamphausen Media GmbH, Bielefeld 2009, 4. Auflage
2017 (*Zen im 21. Jahrhundert*)

Impressum

© West-Östliche Weisheit Willigis Jäger Stiftung 2021, Holzkirchen
www.west-oestliche-weisheit.de

Alle Rechte vorbehalten.
Band 7 der WÖW Edition
1. Auflage, Verlag West-Östliche Weisheit Willigis Jäger Stiftung
ISBN 978-3-9819150-6-8

Bildnachweis
Weltallbilder: www.freepik.de
Portrait, Umschlag Innenseite: @ Aenne Sikora

Konzept und Gestaltung
zurlöwendesign, Düsseldorf, www.zurloewendesign.de

Lektorat
Dr. Nadja Rosmann, Hofheim, www.zenpop.de

Druck
bonitasprint gmbh, Würzburg, www.bonitasprint.de